D1115961

LEÇONS PARTICULIÈRES

Née à Genève (Suisse) en 1916, Françoise Giroud a été script-girl (1932), assistante-metteur en scène (1937). Elle a écrit des chansons, des scénarios, des dialogues (Antoine et Antoinette; L'Amour, madame; La Belle que voilà) *avant de se consacrer au journalisme.*
Elle a dirigé pendant sept ans la rédaction du magazine Elle *(1945-1953) et fondé en 1953 avec Jean-Jacques Servan-Schreiber l'hebdomadaire* L'Express, *qu'elle a dirigé jusqu'en 1974.*
Françoise Giroud a été secrétaire d'Etat à la Condition féminine de 1974 à 1976, puis secrétaire d'Etat à la Culture dans le premier gouvernement Barre (1976-1977).
Œuvres : deux recueils de « portraits » – Le Tout-Paris *(1952),* Nouveaux Portraits *(1953); un essai sur la jeunesse (1958) –* La Nouvelle Vague; *expression dont elle est l'auteur;* Si je mens... (1972); Une poignée d'eau *(1973);* La Comédie du pouvoir *(1977);* Ce que je crois *(1978);* Une femme honorable, Marie Curie *(1981);* Le Bon Plaisir *(1983);* Dior *(1987);* Alma Mahler, ou l'art d'être aimée *(1988, grand prix littéraire de la Femme).*

Le propos de Françoise Giroud est de payer ses dettes. A l'âge où l'on se dit : « Qu'ai-je fait de ma vie ? », on s'aperçoit que ce sont les Autres qui vous ont formé et parfois déformé, qu'on leur doit qui l'on est, pour le meilleur et pour le pire, qu'une existence, ce sont des rencontres avant d'être des événements. Une série de « leçons particulières » que l'on reçoit malgré soi. « Qui m'a donné quoi ? » Ainsi Françoise Giroud s'est-elle interrogée. « Qui m'a fourni des modèles et des contre-modèles, des enseignements et des contre-enseignements, qui m'a laissé son empreinte et quelquefois sa cicatrice, que m'a-t-on donné, que m'a-t-on transmis que j'aimerais transmettre à mon tour selon la loi de la vie ? » Paradoxalement, ce livre tourné vers autrui, écrit à mi-voix, est aussi le plus personnel des récits de Françoise Giroud, comme si elle s'autorisait, cette fois, l'émotion, le regret, la blessure.

Paru dans Le Livre de Poche :

LA COMÉDIE DU POUVOIR.
UNE FEMME HONORABLE (Marie Curie).
LE BON PLAISIR.

FRANÇOISE GIROUD

Leçons particulières

FAYARD

Note de l'Éditeur

Épiloguant un jour avec une amie, Madeleine C., sur les stéréotypes auxquels nous ont habitués les publications de Mémoires – de l'homme d'action « qui s'est fait tout seul » au « grand témoin qui a traversé son siècle » – , nous en conclûmes assez rapidement que la seule question qui valait la peine d'être posée, à l'heure des bilans, était plutôt la suivante : qu'est-ce que j'ai reçu, qu'est-ce que j'aurai à mon tour transmis ?

Quand une idée est faite pour trouver l'hospitalité dans l'informulé de l'autre, qu'elle est « porteuse », comme on dit, elle s'attrape et prend corps. Celle-ci m'obsédant, je ne pus m'empêcher de la communiquer à Françoise Giroud.

Ainsi est né ce récit.

C. D.

À Caroline,
évidemment.

« Si tu avances, tu meurs; si tu recules, tu meurs. Alors, pourquoi reculer? »

Devise des guerriers zoulous.

Ce soir-là, il parlait avec difficulté.

La tumeur qui enflait dans sa gorge commençait à l'étouffer. Elle avait percé à l'arrière de son cou, à l'arrière heureusement, de sorte qu'il ne pouvait pas voir la plaie sur laquelle je mettais, matin et soir, un pansement.

Il répugnait à me laisser la charge de ces soins. Je faisais vite. Nous n'en disions rien. Nous n'avions partagé jusque-là, pendant vingt ans, que des plaisirs ou presque. J'aimais qu'il soit léger, gai, insouciant. Les épreuves, c'était mon affaire.

Et puis, soudain, les choses ont changé. On ne fume pas le cigare pendant quarante ans sans en payer le prix.

Dès le premier jour, il s'est tenu droit, pugnace envers la maladie, déterminé à la vaincre. Elle l'a détruit en quatre ans. À la fin, les supplices d'usage l'avaient exténué. Une douleur incoercible dans l'épaule le harcelait. Souvent, il rejetait ce qu'il tentait d'avaler et il en était humilié.

Ce soir-là, donc, je l'attendais pour l'éprouvante cérémonie du dîner. Il s'est assis dans ma bibliothèque, cherchant le fauteuil le moins inhospitalier à son corps souffrant, il a croisé ses grandes jambes et, de sa voix détimbrée, m'a dit : « Donne-moi ta main... Écoute-moi... Je crois qu'il est temps d'en finir. »

Ensuite il a dit que nous étions adultes tous les deux, que nous adhérions aux mêmes croyances – c'est-à-dire une absence de croyances – , et que nous devions donc être capables d'envisager de sang-froid la mort qu'il souhaitait, maintenant, recevoir le plus vite possible.

Il a répété : « Il est temps. Aide-moi. Je ne veux pas mourir étouffé. »

Et puis il a parlé d'autre chose. D'un peintre, Louis Cane, dont il venait d'acheter une toile. D'un nouveau petit chat qui l'attendrissait. Du *Journal* de Jules Renard, qu'il relisait et dont il se délectait. À table, il a expulsé ce que j'espérais le voir avaler.

Dix jours après, sa volonté était faite. Et j'entamais une dépression. On ne provoque pas impunément la mort d'un homme en pleine possession de ses moyens intellectuels, même lorsqu'il la demande.

Insomnies et petites pilules, j'ai rampé – dans la dépression, on rampe – jusqu'à retrouver l'usage de moi-même. C'est fait. Mais je ne peux pas encore évoquer ce souvenir sans m'y déchirer.

C'est la dernière grande leçon que j'aie reçue. A. ou l'art de mourir.

Leçon n'est pas le mot juste. Trop impérieux, trop docte. Mais je n'en trouve pas de meilleur pour désigner ce par quoi l'on reçoit, ce par quoi l'on transmet un exemple, une tradition, un savoir, une valeur.

Préférer sa propre fin à sa déchéance, qui n'y souscrirait quand l'échéance est abstraite? Mais, sur l'obstacle, souvent l'animal se rebelle. Vivre, ah vivre! peu importe comment!... J'ai appris de cet homme jouisseur, follement épris des choses de la vie, que l'on peut apprivoiser sa mort, la regarder en face et y mettre de l'élégance, oui de l'élégance.

En le voyant si maître de lui, j'ai pensé aux croyants que j'ai connus, tremblants au bord de l'abîme. Que de soucis pour leur âme et d'interrogations angoissées sur l'au-delà! Ceux-là n'étaient pas faibles parce qu'ils étaient croyants, ils étaient croyants parce qu'ils étaient faibles.

A. connaissait la paix de ceux pour lesquels il n'y a ni Dieu ni Diable. Laïque comme on l'était encore dans sa génération, les manifestations du religieux dans tous ses aspects le hérissaient. Il s'emportait. Je répondais qu'il faut laisser chacun juger ce qui l'aide à vivre. Il parlait des curés à la façon de Michelet, et mit à la porte sans cérémonie l'aumônier de l'hôpital qui s'était faufilé dans sa chambre. Après, nous avons ri. Il a ri jusqu'à la fin. Jusqu'à la fin.

Comme les femmes apprennent tout ou presque des hommes, et réciproquement, c'est lui qui m'a enseigné à aimer le football, ce qui n'est pas rien, et à connaître la peinture contemporaine, qui ne m'était pas familière. Pour le taquiner, je lui citais Michel-Ange : « La belle peinture est une ombre du pinceau de Dieu. » J'en étais restée à Cézanne, pourquoi n'en resterait-on pas à Cézanne? Il n'y a pas de progrès en art, il n'y a que des sensations réalisées. Mais je ne suis pas sûre qu'avant de connaître A., je savais regarder la peinture de Cézanne. J'ai appris. Tout s'apprend.

Lui était toqué d'art. Aussi toqué, je n'ai connu que Malraux, le génie en plus. Il en avait l'instinct, l'intuition, la connaissance, l'œil. Il disait : « Il y a peut-être deux mille personnes dans le monde qui savent vraiment ce que c'est que la peinture. Qu'est-ce que ces imbéciles foutent à piétiner devant le Grand Palais? » Il ne disait pas « imbéciles ».

Les clés d'un royaume d'émotions neuves offert à

l'appropriation par le regard, c'est ce qu'il m'a remis. Je ne cesse depuis d'en user, avec plus ou moins de discernement.

Lui ai-je transmis en retour quelque chose de mon expérience, de mon savoir, de mes valeurs? Probablement, mais j'ignore quoi. On ne sait jamais ce que l'on donne de soi, ni le bon ni le mauvais.

C'est pourquoi ce livre sera à sens unique.

Ma première leçon, je l'ai reçue de mon père, le jour de ma naissance. J'étais sa seconde fille. La première avait six ans déjà. Il voulait un fils. En me voyant, il a dit : « Quel malheur! » – et il m'a repoussée. La légende veut qu'il m'ait fait tomber. En tout cas, je ne m'en suis jamais remise. Je veux dire que, pendant quelques décennies et sans dételer, je n'ai cessé de demander pardon, autour et alentour, de n'être pas un garçon. Je n'ai cessé de vouloir faire la preuve qu'une fille, c'était aussi bien.

Tous les nourrissons auraient des histoires de même nature à raconter s'ils s'en souvenaient. D'ailleurs, ils s'en souviennent – les bébés savent tout – , mais pas à travers leur mémoire consciente. N'aurais-je pas entendu, je fus ensuite abondamment informée. De nourrice en gouvernante, on se repassait le mot : « Quel malheur que ce ne soit pas un garçon! » L'une de ces femmes imagina même de m'appeler François.

Repoussée par le premier homme de ma vie et déclarée coupable, je ne partais pas du bon pied. Rien de tel pour vous transformer une fille en machine à être première en classe, fût-ce au prix d'une tension permanente.

En ce temps-là, les enfants ne faisaient pas de sport. Seule la « danse rythmique » était censée donner de la grâce aux filles. Sinon, quel champ de compétition se serait ouvert! Il restait les barres fixes, la gymnastique. J'y passais des heures, dans la cour d'une pension sinistre où le malheur m'avait jetée. J'ai appris là des choses entièrement superflues mais voluptueuses : la roue, le grand écart, le soleil, le poirier, le saut périlleux. On m'aurait dite, à dix ans, née dans un cirque.

Aujourd'hui, mes mains tremblent, j'ai le pas lourd, la vue basse, le dos raide, le bras mou, l'oreille dure, je n'arrive même plus à me remémorer le dessin de mon corps quand la fermeté de la chair et le délié des courbes lui donnaient encore la grâce de la jeunesse. Je me suis oubliée. Vieillir est abject. Mais je me souviens de la fille à qui ses camarades de jeu disaient : « Là, tu n'oseras pas sauter... » Et qui sautait. Du haut d'un arbre, de la crête d'un mur, d'une fenêtre. Morte de peur.

Après quoi, on s'écriait autour de moi : « Mais cette petite est un garçon manqué. » Manqué? J'allais leur montrer...

Sauter comme les garçons, c'est ce que, bien involontairement, mon père m'aura imposé pour la vie en une leçon magistrale.

Il n'a pas eu l'occasion de m'en donner d'autres. La maladie l'a emporté très jeune.

Plutôt qu'un père, j'ai eu une absence-de-père, une image-de-père, image parée par ma mère des traits les plus aimables : bravoure, audace, séduction, don des langues, talent dans son métier, le journalisme, et comment il avait défié les Boches! Jusqu'à quel point ressemblait-il au personnage flamboyant proposé à ma vénération, je ne sais pas.

On ne connaît pas ses parents. On ne peut même pas les imaginer jeunes, dissipés, amoureux. D'abord, on ne le veut pas. Imaginer, enfant, une époque où l'on n'était pas né, génère une angoisse intenable. Ensuite, il faut être tout à fait adulte, détaché, comme on le dit d'un fruit tombé de l'arbre, pour avoir la curiosité de la jeunesse de ses parents. Et alors, comment oserait-on poser des questions? les vraies questions? C'est contre nature. Les parents sont les parents.

À partir de documents, vieux papiers jaunis, livret de famille, textes de conférences, correspondance, coupures de journaux, j'ai quelques repères factuels.

Lui : né à Bagdad, études à Paris, licence de droit, mariage à Paris en 1908 avec la sœur d'un ami de faculté.

Elle : issue de l'une de ces vieilles familles séfarades qui ont quitté l'Espagne au moment de l'Inquisition. Son père est le médecin du Sultan Rouge Abdülhamid. Son frère, inscrit au barreau de Paris, sera gravement blessé à Verdun.

Lui : fonde à Constantinople l'Agence Télégraphique Ottomane. En 1915, les autorités turques le menacent de mort s'il s'obstine à refuser de mettre son agence au service de la propagande allemande. Réussit à quitter clandestinement la Turquie. Remplit diverses missions pour les services spéciaux alliés.

Tout ceci est antérieur à ma naissance. Ce sont les seuls faits objectifs que je connaisse au sujet de celui dont j'aurais dû être le fils et que l'on m'incita tout naturellement à re-produire, comme si j'étais un garçon. Davantage : j'eus pour devoir de me substituer à lui, de combler ce manque où il nous avait laissées.

J'entrai dans ce rôle avec empressement, gonflée

de mon importance. Bien qu'elle fût plus âgée que moi, ma sœur, que j'appelais Douce, ne mit pas en doute que j'étais, à dix ans, l'homme de la famille; ma mère en fit une évidence. Dans le trio uni, soudé que nous formions, j'étais supposée incarner la sagesse, la force, la raison, et porter tous les espoirs d'une revanche sur le sort funeste qui nous avait frappées.

Douce, dans tout l'éclat de sa juvénile beauté blanche et noire, traversait à seize ans une crise de futilité. Je lui interdis un maquillage que je jugeais précoce. « Ça te donne mauvais genre », disais-je, grondeuse comme un frère jaloux.

Quant à ma mère... On sait qu'il n'y a pas de mère laide. Quiconque parle de la sienne vous dira qu'elle était belle. La mienne irradiait aussi le charme, l'esprit, la fantaisie. C'était une personne tout à fait originale. Elle m'emmenait, à douze ans, entendre une conférence de Paul Valéry « parce qu'il faut absolument que la petite sache ce qui est beau ». Elle donnait tout, y compris ce que nous possédions en propre, ma sœur et moi, un stylo, une montre, nous plongeant dans des rages froides. Toutes les générosités s'épanouissaient en elle et la faisaient radieuse, d'un rayonnement qui touchait les humbles, fascinait les puissants et déclenchait de toutes parts des avalanches de confidences. Fine, longue, elle était d'une grâce souveraine, vraiment. Et ses mains inspirées, créatrices, habiles à tous travaux...

Manuelle, je m'enorgueillis de l'être aussi. Tout de suite après la guerre, alors que les automobiles en circulation étaient toutes plus ou moins défaillantes par suite de leur longue immobilisation, je roulais vers Nice avec Danielle Darrieux, son mari play-boy Rubirosa, et mon mari qui n'aurait pas su changer une ampoule. Panne au milieu des platanes. Les maris s'appliquèrent successivement, sans succès. Je dis : « Laissez-moi essayer.... » Je portais des ongles longs, laqués rouge, un chemisier blanc. Une demi-heure plus tard, le chemisier était ocellé, les ongles ébréchés, mais, carburateur débouché, le moteur tournait. Qu'est-ce qui vous donne des satisfactions pareilles dans la vie intellectuelle ?

Aujourd'hui, je ne sais plus ce qu'il y a sous le capot d'une voiture et mes mains devenues incertaines me trahissent, les garces, fût-ce pour enfiler une aiguille. Mais elles m'ont bravement servie.

Avant que me soient transmis les secrets de famille qui permettent de laisser le gâteau au chocolat moelleux, de réussir le pâté aux deux viandes et de repasser le velours, je reçus de ma mère ma deuxième grande leçon.

Je cours dans un jardin et je me cogne contre une grille. Mon visage heurte un loquet, le sang jaillit, je hurle. Énormément. On accourt, et ma mère dit : « Tiens-toi. Dans notre famille, on ne pleure pas. »

Ce qu'elle me transmettait là était complexe. D'abord, la notion d'une collectivité à laquelle j'appartenais – notre famille –, qui respectait des règles. Envers laquelle j'avais des obligations : en être digne, digne de mon père. Ensuite, l'indécence des larmes, plaintes et gémissements.

Elle était pourtant l'indulgence, la douceur, la tendresse, ma mère, mais... on se tient. Et, le cas échéant, on en crève, il faut bien le dire. C'était quasiment japonais, cette façon d'interdire l'exubérance de la douleur.

Ses propres larmes lui avaient cependant brûlé les yeux. Mais elle pleurait la nuit, loin de tout regard, je l'ai compris plus tard.

Sa situation était épouvantable. Jeune femme jusque-là protégée, sachant tout faire, c'est-à-dire rien, son mari dans un sanatorium isolé par la maladie, deux petites filles perturbées par cette absence, et, pour vivre, rien. Les vagues débris de ce qui n'avait jamais été une fortune, l'aumône épisodique d'un beau-frère, d'un oncle, prodigues seulement de conseils.

Dans la plupart des familles bourgeoises, il y avait autrefois une cousine pauvre, celle qui n'avait pas eu de chance ou que le sort avait frappée. Quelquefois, on l'hébergeait au fond de l'appartement, dans la lingerie que l'on sacrifiait, ou bien on lui procurait des leçons de piano. On l'invitait à déjeuner une fois par semaine, le lundi, jour de la lessive dont l'odeur excluait que l'on procédât à d'autres invitations. On lui refilait les vieilles robes. Rêveuse bourgeoisie.

Le statut de cousine pauvre était celui où ma ribambelle de grand-tantes entendait enfermer ma mère, dont elles avaient toujours jalousé l'éclat. Maintenant, on la tenait! Et elle se débattait.

Son propre père – autre modèle masculin auquel j'étais engagée à m'identifier – avait été l'un de ces « médecins des pauvres » qui jouaient un si grand rôle du temps que la protection sociale n'existait pas. Elle avait rêvé de l'imiter. Désir inconvenant pour une jeune fille de sa génération. À présent qu'il lui fallait élever seule ses enfants, il n'était pas question qu'elle reprenne des études. L'urgence la poussait. Que n'a-t-elle pas fait, avec une égale ingénuité, pour nourrir sa nichée, toutes griffes dehors, telle une lionne!

Les enfants ne s'intéressent pas aux biens matériels. J'ai vu, dans l'indifférence, la maison se vider. Un jour c'était l'argenterie, un autre jour les tapis, puis vinrent les livres, enfin le piano. Là, je fus atteinte. Le piano, immense, un Bechstein, était mon principal jouet. Quand je n'étais pas devant, je lisais dessous. Le jour où quatre malabars se présentèrent pour l'enlever, ce fut comme si le toit de la maison était arraché. J'entrai dans l'insécurité. Accessoirement, ma carrière potentielle de virtuose demeura dans les limbes. J'ai beaucoup joué avec des pianos ensuite, je n'ai jamais appris à jouer du piano selon les règles. Ce n'est que l'un des savoirs dont il m'est resté l'âpre regret.

Les enfants ne s'intéressent pas à l'argent. C'est l'état de manque où se trouvait ma mère, ses affolements, son désarroi qui m'en ont donné une conscience précoce. Mais la leçon des humiliations qui nous étaient infligées chaque fois qu'il fallait mendier ici et là le nécessaire n'a pas été féconde, en ce sens que je n'ai jamais appris à « faire de l'argent », au contraire. J'en ai eu longtemps un dégoût, une méfiance quasiment névrotiques. Moyennant quoi, incapable de prononcer un chiffre, de négocier un contrat, de demander davantage, souvent j'ai été mal payée pour mon travail. Demander, je meurs.

En ce temps-là, les fournisseurs faisaient encore crédit. On payait le boucher, l'épicier, le crémier quand ils vous présentaient la note. Ils disaient : « Il faudrait penser à moi, ma petite demoiselle... » On répondait : « Oui, bien sûr. Demain, ça ira?... » Et les jours suivants, on la sautait.

Ma mère courait de l'un à l'autre pour emprunter de quoi régler quelques dettes brûlantes, lorsque mon grand-oncle Adolphe disparut, laissant des biens appréciables.

C'était un homme au physique abondant sous des gilets de soie barrés d'une chaîne d'or. Il était mort subitement, sans testament. Alors commença la saga de l'Héritage.

Elle dura plusieurs mois, palabres et conspirations, clans formés et défaits, cris et fureur. Réparti entre sœurs, neveux et nièces dudit Adolphe, la part de chacun eût encore été substantielle. Or, on se disputa si bien que l'homme d'affaires de l'oncle Adolphe prit sur lui de régler le gros de la question : il fit main basse sur tout ce qui pouvait être subtilisé –

l'argent liquide, l'or, les titres... Il détenait la clé du coffre. Cet homme, Pierre W., fut plus tard bien connu à Paris où il jouait les grands bourgeois chics. Je ne le nommerai pas davantage, son fils vit encore.

La famille déchirée se ressouda pour maudire le vilain. Ma mère, incapable de faire valoir quelque droit que ce soit, se trouva évidemment évincée de l'ultime partage où l'on s'arracha les parcelles d'immeubles. Elle reçut un sautoir en or et une trembleuse en brillants. Le lendemain, le tout était au clou. Une institution géniale, le clou. On peut tout engager, même ses chaussures. Nous étions des habituées. Les employés, aussi généreux que possible, disaient en nous voyant : « C'est encore vous? Qu'est-ce que vous nous apportez, aujourd'hui? »

L'oncle Adolphe allait répétant : « Moi vivant, jamais une femme de ma famille ne travaillera... » Le fait est qu'il était alors exclu qu'une femme de la « bonne société » travaillât. Mais étions-nous encore de la bonne société lorsqu'il disparut? Rien de moins évident. Pour ma part, je n'en ai jamais fait partie, ni hier ni aujourd'hui. Je suis une saltimbanque dont toute la vie s'est déroulée en contravention avec les conventions sociales. L'ordre qui règne dans mes placards et quelques traces d'éducation bourgeoise ne doivent pas faire illusion. Je ne suis pas une personne convenable.

Douce, au contraire, avait le respect des règles de notre milieu d'origine, elle était pleinement intégrée. Elle se résigna cependant à prendre un emploi et devint à dix-sept ans vendeuse dans un grand magasin de l'Opéra. Une place de rêve. Il était interdit au personnel de s'asseoir et de parler entre soi. Les vendeurs pinçaient les fesses des vendeuses en toute impunité, qu'elles osent donc se plaindre! La cantine était infecte, Douce gagnait trois cents francs par mois, soit environ trois mille francs d'aujourd'hui.

Mais rien ne pouvait entamer son ardent amour de la vie, sa gaieté, sa confiance dans l'avenir. Elle endura pendant quatre ans son grand magasin, puis fut embauchée par un décorateur. Le ciel s'éclaira.

Exubérante, se liant facilement alors que j'étais sauvage comme un ours, Douce était populaire, entourée d'amis, invitée partout. Elle m'aimait. Alors elle m'emmenait, où qu'elle aille. Nous formions une drôle de paire, elle superbe, éclatante, à l'aise en toutes circonstances, moi rugueuse, muette, la surveillant d'un œil implacable, convaincue que je la protégeais comme elle me protégeait.

L'un de ses soupirants aimait la musique, ô merveille. Il nous emmenait chaque semaine au concert. Je l'aurais bien admis comme beau-frère, mais Douce n'en voulait pas. Il pleurait dans mes bras en disant : « Avec moi, vous seriez à l'abri... » Il avait de la fortune et du cœur, mais il était si laid...

J'ai dû être la plus jeune cliente du cabaret de Montparnasse où sa bande allait parfois danser le blues ou le tango. « Quelle éducation! » s'écria un quelconque cousin qui, par hasard, nous avait un soir aperçues. Le fait est. J'ai été très mal élevée. On m'a seulement aimée.

On m'a seulement donné, pour le voyage de la vie, ce viatique sans prix d'où j'ai tiré pour toujours confiance dans la générosité de cœur, la tendresse rustique, la solidité des femmes. Sur elles, on peut compter. S'appuyer.

Dans le même temps, pour la raison que j'ai dite, cette absence-de-père, il m'est apparu que les hommes étaient peu fiables. Ils disparaissent quand on a besoin d'eux.

Là où ces impressions s'inscrivent, elles ne s'effacent jamais. Je n'en ai retiré aucun mauvais sentiment à l'égard des hommes, je les ai bien aimés, et ils me l'ont bien rendu. Mais, exonérée de l'autorité d'un père, j'ai été épargnée par la soumission sournoise, la révolte refoulée qu'ont vécues tant de femmes de ma génération.

Ma propre liberté, je n'en ai pas le mérite. Je n'ai pas eu à la conquérir. C'est sans doute pourquoi j'ai été protégée de nourrir quelque acrimonie que ce soit à l'égard du genre masculin en général ou en particulier. Globalement, je trouve même les hommes gentils. Oui, gentils.

J'avais treize ans peut-être lorsqu'une directrice de pension m'administra une leçon inoubliable. Mme M., œil vert, ongles laqués, de la prestance, dirigeait une institution essentiellement fréquentée par des étrangères qui venaient achever leur éducation par une année de français et quelques leçons de musique ou d'histoire de l'art.

Au milieu de ces péronnelles, quelques adolescentes françaises recevaient l'enseignement régulier qui était censé les conduire au bachot.

Qu'est-ce que je faisais là? J'étais le boute-en-train, comme on le dit des chevaux, destiné à donner l'exemple aux petites Françaises pour stimuler leur ardeur au travail. Moyennant quoi, ma mère ne payait pour moi que demi-pension.

Après un séjour dans un internat de lycée non chauffé où les lentilles composaient l'ordinaire, cette institution pour jeunes filles de luxe était un lieu de délices.

Drapée dans des châles, agitant des bracelets d'argent, récitant Baudelaire d'une voix mourante, une dame originale nous enseignait la littérature. D'où sortait-elle? mystère.

Déjà, ce n'était pas banal de lire Baudelaire à des adolescentes dans une école privée. Elle risquait à tout moment d'être dénoncée. Mais qui en aurait eu l'idée? Elle nous subjuguait. Le premier jour, elle avait déclaré : « Il faut choisir. Qu'il le sache ou non, tout Français est obligé de choisir entre Pascal et Montaigne. Il y est conduit par une force qui le décrit tout entier. » Et, me désignant, elle demanda : « Vous, vous sentez-vous Montaigne ou Pascal? » À vrai dire, je ne me sentais rien du tout, écrasée par cette alternative. Mais, pour le peu que j'en connaissais, tout de même, c'était Montaigne. « Ah, dit-elle triomphante, j'en étais sûre! Et vous autres? » Elle fit le tour de la petite classe, puis se mit à lire à haute voix un passage de l'un, un passage de l'autre. Étrange méthode, assurément. Mais c'est grâce à ce professeur baroque entre tous que j'ai lu Montaigne, ce qui s'appelle lu. Beau cadeau pour une jeune fille encline au doute.

Stimulée par l'attention qu'elle me portait, je travaillais comme un ange lorsqu'un soir, une des pensionnaires étrangères, Margaret, s'avisa de faire le mur. C'était une fille de seize ans, délurée, qui avait réussi, au cours de la sortie hebdomadaire, à nouer relation avec un jeune homme. Le gardien de la propriété l'avait aperçue sans la reconnaître au moment où elle rentrait. Alertée aussitôt, Mme M. fit la tournée des chambres avec sa torche électrique. Une paire de chaussures crottées trahit Margaret, mais, sur le moment, rien ne fut dit.

Le lendemain, toute la maison bruissait de rumeurs et de chuchotements. Au petit déjeuner, Mme M. nous avisa simplement que l'une d'entre nous avait commis un acte grave en sortant clandestinement de la pension la nuit, et qu'elle serait sanctionnée.

Dans la matinée, elle me fit appeler dans son bureau. J'arrivai, intimidée par le décor de velours et de capiton, les effluves d'un parfum sucré, les ongles de Mme M., très longs et recourbés en griffes.

Elle me décrivit en quatre points la situation :

Un : Margaret était la coupable.

Deux : si son père, un magnat de Pittsburgh, apprenait l'incident, la réputation de l'institution était perdue aux États-Unis.

Trois : impossible de passer l'éponge. Le gardien avait parlé. Tout le monde était au courant.

Quatre : Il fallait donc trouver une fausse coupable dont la mauvaise conduite serait sans retentissement sur l'institution.

D'abord, je n'ai pas compris. Puis, quand elle a dit : « Ta mère me doit bien ça... », l'angoisse m'a saisie. J'ai supplié :

– Pas moi, s'il vous plaît, pas moi...

– Soit, a dit Mme M. Ta pension n'est pas payée depuis trois mois. Si tu refuses de me rendre le service que je te demande, tu seras renvoyée. Assieds-toi. Tu as cinq minutes pour réfléchir.

Elle a feint de se plonger dans ses papiers. Et j'ai connu un moment de désespoir absolu. Le premier de ma vie consciente. Un moment de haine pure, aussi, envers cette femme altière et ses manigances.

J'ai cédé, naturellement. Que faire d'autre? Mon inconduite a été officiellement stigmatisée et sanctionnée par un séjour solitaire d'un mois dans un chalet du jardin où l'on m'apportait devoirs et repas. Margaret a été informée qu'on l'avait à l'œil.

Après un mois, quand j'ai réintégré ma chambre et ma classe, un bout de mon cœur était devenu comme du vieux cuir. Il l'est resté. J'avais découvert le chantage. Surtout, j'avais pris mesure de ma faiblesse et de celle de ma mère. En face du magnat de Pittsburgh et de Mme M., nous ne pesions rien. On pouvait nous marcher sur la figure.

Je ne savais pas ce qu'était un rapport de forces, mais j'ai appris, en cette occasion particulière, et pour la vie, que les faibles se font toujours écraser.

Ne jamais écraser : ce pourrait être une devise.

Ne jamais se laisser écraser : une résolution.

J'étais encore écolière lorsque ma pauvre petite mère-qui-savait-tout-faire sauf compter, mais dont l'esprit d'entreprise était illimité, réussit à donner vie à une pension de famille puis, quand celle-ci périclita, à une maison de couture, aventures dont j'ai gardé un souvenir épouvanté.

Dans la cuisine de la pension, le chef annamite s'enivrait et balançait la blanquette sur l'entremets; dans l'atelier de couture, les ouvrières gelaient devant la salamandre éteinte, les clientes oubliaient de payer, les fournisseurs menaçaient. Avec un optimisme irréductible, ma mère embrayait sur un nouveau projet.

Pour être rude, la leçon n'en fut pas moins salutaire. De ces péripéties, j'ai retiré l'horreur viscérale de l'amateurisme, du travail mal fait. Un métier, il faut avoir un métier, fût-il modeste, une qualification, comme on dit aujourd'hui. Je n'ai rien voulu avec plus de détermination qu'un métier. Aussi, lorsque, passés quatorze ans, j'ai jugé qu'il serait bon désormais que ma mère reste à la maison et que j'aille travailler, j'ai commencé par apprendre la sténo-dactylo. À l'école. Avec une application extrême, comme si j'y jouais ma vie.

D'ailleurs, je la jouais. J'ai trouvé ma première place dans les petites annonces de *L'Intransigeant* grâce à la sténo-dactylo, une place épatante, employée d'une librairie pour bibliophiles, le patron, brave homme, toujours absent. Entre deux clients, j'ai dévoré tout le stock, de Péguy aux *Onze mille verges* d'Apollinaire. La bibliophilie ne fait pas la différence, et je n'avais pas de préjugés. Toute mon enfance, j'avais pioché librement dans la bibliothèque de mon père, en commençant par les rayons du bas qui m'étaient le plus accessibles. Tous les classiques je les avais avalés, et Balzac, et les Russes au complet, et Anatole France et les pièces d'Henry Bataille dans la *Petite Illustration.* Un abonnement m'avait en même temps alimentée en romans contemporains. J'avais la tête bourrée de cloches. Apollinaire était passé avec le reste.

M'habitait à l'époque la folie des mots, de leur sonorité, de leur adéquation à ce qu'ils désignent. Libellule, par exemple... Imagine-t-on qu'on aurait pu appeler cet insecte « *niveau* », comme son étymologie l'aurait commandé? Syphilis, Tubéreuse, quels jolis prénoms pour une jeune fille... J'aimais aussi détourner le sens des mots par la ponctuation, jeu subtil. Beaucoup plus tard, j'ai appris que l'on pouvait ainsi modifier, par exemple, le plus fameux vers de Shakespeare – « *To be or not to be, that is the question.* » Changez la place de la virgule, et cela donne : « *To be or not, to be that is the question.* »

Qui peut d'ailleurs affirmer que l'auteur ne l'a pas écrit ainsi?

J'avais, dans ma librairie, tout loisir de m'enivrer de mots. Je m'y employai.

Lorsque Marc Allégret, que je connaissais depuis toujours, vint à passer dans cette boutique, s'étonna de m'y trouver, dit : « Il faut te sortir de là. Qu'est-ce que tu sais faire? », j'ai répondu fièrement : « Sténo et dactylo, cent trente mots à la minute, mon vieux! » Justement, c'est ce qu'il lui fallait. Ça tombait bien. On a toujours besoin d'une bonne sténo-dactylo.

Quelques mois plus tard, il me sacrait « script-girl ». Serait-il entré, en ce mois de mai 1931, dans une autre librairie du boulevard Raspail, toute ma vie en eût été changée.

« Vous seriez devenue propriétaire de la librairie », me dit un ami pour me taquiner. Mais ce n'est pas vrai. Je suis inapte à toute entreprise commerciale, incapable de vendre un kilo de cerises à quelqu'un qui en aurait vraiment envie.

Allégret, ce beau jeune homme nonchalant qui roulait toujours en voiture de luxe, avait été le dieu de mon enfance. Il fut le *deus ex machina* de ma vie professionnelle.

Il m'aimait comme on aime un petit chat, j'étais toujours dans ses jambes, ça l'amusait, parfois ça l'agaçait, il me renvoyait, mais les chats font ce qu'ils veulent.

À côté de lui, j'ai d'abord appris à écouter.

Le métier de script-girl – aujourd'hui, on dit *scripte* – a peu changé, pour autant que je sache, depuis ces jours de 1932 où j'y fus initiée. Mais le cinéma est sans rapport avec ce qu'il était.

Les années trente, c'était le temps où Hollywood semblait détenir le secret du bon cinéma comme les Français celui de la bonne cuisine, où l'Amérique était à l'autre bout du monde, où ses étoiles, drapées dans leur légende, peuplaient une Olympe inaccessible. C'était le temps où les salles étaient pleines. C'était le temps où l'on pouvait encore écrire des histoires d'amour. On ne peut plus.

Des centaines de pièces ont reposé à travers les siècles sur deux ou trois situations dramatiques : l'amour contrarié (*Roméo et Juliette*), l'amour impossible (*Tristan, Phèdre*), l'amour trahi ou croyant l'être (d'*Othello* à Feydeau en passant par Marivaux». Des dizaines de films se sont inscrits dans l'un ou l'autre de ces schémas, de la tragédie au vaudeville. Et quelques-uns ont été sublimes. Aujourd'hui, les ressorts sont cassés. Il n'y a plus d'amour contrarié (par qui? par quoi?). Il n'y a plus d'amour impossible (d'où viendrait l'obstacle? on divorce même à la cour d'Angleterre), et il est acquis que la jalousie, même si on l'éprouve, n'est plus un sentiment avouable. Ringarde, la jalousie. Alors, on voit à quoi sont réduits les malheureux auteurs de films. On le voit si bien qu'on ne va pas les voir. Je veux dire que l'un des piliers sur lesquels reposait le cinéma s'est effondré.

Dans les années trente, entre l'exploitation de la veine « Russie blanche » – chants tziganes et bal chez le tsar – , celle, inépuisable, de la Légion étrangère, le tout-venant des comiques, des policiers et des mélos, le cinéma dit commercial ne se portait pas mal du tout. Poussait au milieu de-ci, de-là, un vrai beau film signé Jacques Feyder, René Clair, Jean Renoir.

Même les pires marchands de soupe avaient une âme de pionniers lancés à la conquête d'un territoire en pleine expansion. Le parlant, qui venait de surgir, ouvrait des perspectives fabuleuses, les studios grouillaient de personnages pittoresques, marginaux d'une société qui les tenait en méfiance, tels des romanichels qu'ils étaient. Un homme convenable ne travaillait pas dans le cinéma.

Les producteurs d'aujourd'hui ont des têtes – et parfois des diplômes – de cadres supérieurs, ils s'appellent Durand ou Dupont, ils pourraient aussi bien produire des roulements à billes, ce sont des gens sérieux bien vus de leur banquier. Enfin, la plupart. Les producteurs d'autrefois étaient, dans leur majorité, des émigrés russes. Plus tard sont venus les Autrichiens fuyant Hitler. Ils parlaient un français approximatif, le montage financier de leurs films était vertigineux, ils pratiquaient beaucoup le chèque sans provision, mais ils avaient le grain de folie, la passion, le talent d'accoucheurs sans lesquels il n'y a pas de producteurs. Seulement des gestionnaires.

Bientôt, à côté de Prévert, Spaak, Jean Aurenche ou encore l'inépuisable Jacques Companeez, Russe fertile et délicieux, capable de vendre *Les Deux Orphelines* comme s'il venait d'en inventer l'histoire, d'autres scénaristes sont arrivés d'Autriche. Ils ne maîtrisaient pas le français. L'élaboration des scénarios auxquels ils collaboraient se faisait en parlant, à trois ou à quatre, dans l'un de ces grands hôtels des environs de Paris où les producteurs enfermaient leur petit monde tout le temps nécessaire.

Ces séances d'élucubrations duraient parfois de longues heures. J'avais du mal à rester concentrée et j'en étais angoissée. Un vieil ami de ma mère, Me L., avocat de son état, me dit : « Toutes les femmes ont l'esprit vagabond... Elles ne peuvent pas fixer leur attention, elles sautent d'un sujet à l'autre. » Raison de plus pour ne pas être comme « toutes les femmes ». Il me suggéra un exercice : « Quand tu pars le matin, me dit-il, pense à un sujet précis, n'importe lequel, et oblige-toi à l'avoir encore en tête en arrivant à ton travail. Fais-le sérieusement et tu verras, c'est efficace. »

Fut-ce l'effet de cette gymnastique à laquelle je m'appliquai ? La concentration d'esprit ne m'a plus jamais posé problème, sinon par excès.

Quand on avait beaucoup parlé, il fallait mettre quelque chose noir sur blanc. Ce travail-là me revenait. Ainsi ai-je appris à construire une histoire. En rédigeant ce que les autres avaient l'incapacité ou la paresse d'écrire.

Par un curieux phénomène, tous les gens qui

évoluaient dans le cinéma considéraient que, du même coup, ils ne pouvaient plus fréquenter que les grands restaurants, habiter les grands hôtels, et rouler en voiture de prix. Le plus fort est qu'ils le faisaient. Aux frais de la production, naturellement. C'était fou, surréel. Et plus divertissant, certainement, que de travailler dans une compagnie d'assurances.

J'ai bien aimé le métier de scripte, parce que je le faisais bien et qu'on me le disait, parce que c'est celui où l'on est le plus intimement associé au travail du réalisateur, parce que la monotonie ne s'y introduit jamais. Un film, c'est quelques semaines, au plus quelques mois, et puis on se sépare, l'équipe se disloque, une autre aventure commence, de nouvelles amitiés naissent, peut-être intenses, en tout cas fugitives, que d'autres remplaceront...

Mais, techniciens et ouvriers de plateau mis à part, le milieu était infect. Pourri par le droit de cuissage. Les régisseurs traitaient les figurantes comme du cheptel, choisissant le matin celle qui passerait dans leur lit. Si elle refusait, la rebelle se retrouvait sur une liste noire. Les metteurs en scène... Il y en avait de décents, bien sûr. Mais il y avait aussi celui auquel toutes les candidates à un rôle important devaient d'abord montrer ce qu'elles savaient faire dans une autre spécialité. Pendant qu'elles opéraient, dans son bureau, il ne fermait même pas la porte, heureux que quelqu'un puisse les voir, là, à genoux, humiliées jusqu'à l'os.

J'ai été éliminée de l'équipe des *Aventures du roi Pausole*, le jour même de mon engagement, parce que le producteur, un Russe physiquement monstrueux, exigeait de ma part une coopération particulière. Il prétendait m'emmener passer le week-end à Deauville. J'avais seize ans. Révulsée, j'ai dit : « Laissez-moi, je n'accepte pas qu'on me touche. » Il m'a répondu : « Alors vous n'irez pas loin, ma petite. » Et il m'a virée.

C'était un porc, roulant en Packard et construisant une fortune en rachetant à bas prix les films en cours de tournage qui se trouvaient en difficultés financières.

J'ai envie de raconter ce qui lui est arrivé. Un jour, il tomba amoureux, follement amoureux d'une étoile de l'époque, Mireille Balin, superbe créature minérale ourlée de renards blancs, qu'un industriel couvrait de bijoux. Naturellement elle lui rit au nez. Mais le porc avança un argument : il lui demanda de l'épouser. Quoi! Le mariage? Elle craque. Le soir, ils vont ensemble dîner chez Maxim's pour célébrer l'événement. En sortant, il arrête la Packard sur le pont de la Concorde, fait descendre la belle, s'approche de la rambarde et dit : « Maintenant, vous allez enlever votre diamant, s'il vous plaît, et le jeter dans la Seine. Ma femme ne portera pas un bijou donné par un autre. » Elle a hésité un instant et puis elle a dit : « Vous êtes cinglé, non? »

Il ne l'a pas épousée. Elle a fini dans la misère. C'était une midinette. Une bonne courtisane aurait jeté la bague.

Le porc est parti aux États-Unis, où il a continué à prospérer. Il a demandé la nationalité américaine. Le jour venu, il a comparu, comme il est d'usage, devant un juge qui lui a dit : « Monsieur, il paraît que vous fréquentez des prostituées... » Alors le porc, humblement : « Regardez-moi, monsieur le juge... » Et il a été naturalisé.

Pourquoi ce personnage s'est-il glissé ici, entre ces lignes, je ne sais trop. Peut-être parce qu'il est resté pour moi le symbole du marchandage auquel les jeunes femmes sont, quelquefois, soumises avec plus ou moins de brutalité par ceux, petits chefs ou grands patrons, dont dépend leur travail.

Le porc et ses émules ne m'ont pas conduite à la

détestation des hommes – qui sont, je persiste, plutôt gentils globalement, ne serait-ce cet obsédant appendice au bout du ventre qui les gouverne – mais à la pitié pour les femmes.

Je ne sais pas ce qu'il en est aujourd'hui où les femmes ne font plus tant d'histoires, pilule aidant, pour coucher. Nous en faisions beaucoup. Nous avions moins peur des hommes répugnants, que l'on trouve toujours la force de repousser, que des hommes troublants. Nous autres, filles du cinéma, nous étions des oies roses, informées brutalement par ce que nous voyions, affolées à l'idée de « passer à la casserole » et d'y laisser, entre autres choses, notre âme. C'était il y a très longtemps.

Le vrai danger qui nous guettait, c'était l'homme marié. Celui qui n'est jamais libre le dimanche, rarement le soir, et qui fait l'amour en regardant sa montre mais-tu-sais-bien-que-c'est-toi-que-j'aime. Fuyez l'homme marié, fillettes, fuyez. Il vous volera votre jeunesse.

Au milieu de tous ses soucis, ma tendre petite mère m'a naturellement transmis l'idée qu'elle se faisait du Bien et du Mal. Elle n'avait aucunement l'esprit religieux. Ses valeurs étaient laïques. Elles se nommaient Justice, Liberté, Dignité, Compassion, Courage. Avec des majuscules. Là était le Bien. Le Mal, c'était le contraire. Cette conception n'était pas abstraite. C'est dans le quotidien de sa vie qu'elle pratiquait spontanément le Bien et luttait contre le Mal.

Formée par un père, un frère, un mari eux-mêmes fort actifs dans ce qu'on appelle aujourd'hui la défense des droits de l'homme, elle avait plus de culture politique que les femmes de sa génération, et parlait gravement des valeurs de la République, laquelle était encore contestée dans certains milieux. Parmi les jeunes daims que Douce drainait vers la maison, il arrivait que se trouvât un étourneau de droite, cette droite si virulente des années trente. Il se faisait tirer les oreilles.

Le Bien tel qu'elle l'entendait débordait évidemment la sphère politique pour la sphère privée. Simplement, qu'il s'agisse des victimes du fascisme – exubérant alors en Europe et fort prisé en France – ou de la bonne enceinte, chassée de sa place, qui venait sangloter chez elle, je l'ai toujours vue du côté des persécutés, jamais du côté des bourreaux, même des bourreaux très chics. Surtout, elle avait la compassion gaie, active. Il ne s'agissait pas de gémir – gémir, jamais, interdit! – , mais d'aviser.

Cette leçon-là, j'ai essayé de la retenir. Mais comment le nier? Si la générosité peut être excessive, la sienne l'était, tout comme son hospitalité; elle nous a, dans notre jeunesse, pesé. Nous nous moquions en lui demandant quel clochard elle allait finir par nous ramener, alors que nous habitions quasiment à trois dans un placard.

Ma mère ne m'a pas transmis son cœur innombrable. L'autre été, j'habitais seule une grande maison. À côté se trouvaient des jeunes gens, entassés à quatre dans une pièce avec leurs guitares et leurs casques à moto. Plusieurs fois j'ai pensé : « À ma place, elle leur dirait : " Entrez, mes enfants, venez, installez-vous. " » Elle l'aurait fait. Je ne l'ai pas fait. Elle était à certains égards irresponsable, alors que je suis, par réaction peut-être, d'un sérieux accablant. Mais le lieu où je situe le Bien et le Mal, le prix que j'attache à quelques valeurs essentielles, c'est à sa source que je les ai puisés. Même si, avec les années, il m'est venu quelques idées plus élaborées sur le fonctionnement des sociétés.

Les manifestations se multipliaient alors dans Paris; les affrontements étaient sérieux. Ce fut d'abord le 6 février 34. Ce soir-là, j'ai vu de mes yeux l'autobus qui brûlait place de la Concorde sous l'obélisque, les pierres qui giclaient des Tuileries sur le service d'ordre, les charges de la garde montée, les chevaux aux flancs tailladés par des lames de rasoir et qui ruaient, se cabraient, dérapaient sur des jets de billes, s'abattaient, les réverbères fracassés, plongeant la place dans la nuit...

En 36 j'ai crié dans la rue : « Des avions pour l'Espagne! », et, plus tard, je me suis souvent trouvée engluée dans des cortèges... Ça m'angoisse, j'ai peur de la foule. Mais quoi! quelquefois, il faut le faire. Je l'ai fait souvent, en souvenir de ma mère. Parce qu'elle n'aurait pas aimé que je reste indifférente ou – pire – couarde.

L'un des trous que nous avons habités, du côté des Batignolles, n'était accessible qu'en traversant une cour infestée par des rats qui se gobergeaient dans les caves de l'épicier voisin. Un soir, j'ai trouvé un rat qui faisait les cent pas d'une porte à l'autre du palier. La clé dont j'avais besoin pour rentrer dormait sous le paillasson. Je suis restée là, pétrifiée, un long moment, n'osant pas tendre la main. Ma mère est arrivée. Elle a saisi le rat par la queue, l'a balancé dans la cage d'escalier. J'en ai rétréci de honte. Puis elle a pris la clé. Sans un mot.

Si elle m'avait fait un reproche, j'aurais pu protester, dire qu'on a bien le droit d'avoir peur des rats. Mais elle a gardé le silence. C'était sa méthode. L'admonestation par le silence. Horriblement efficace. La preuve en est que je m'en souviens. On ne peut pas enseigner le courage. C'est affaire de viscères. Mais on peut enseigner qu'il faut en avoir. En face de toutes les variétés de rats.

Je parle donc ici d'une époque de la préhistoire où on laissait sa clé sous le paillasson et où les femmes portaient du linge de soie. Le fascisme nous envoyait quelques-unes de ses victimes, celles qui s'étaient enfuies d'Italie, d'Allemagne, d'Espagne. Elles arrivaient riches de récits terrifiants. Le camp de Dachau fonctionnait déjà en Allemagne. Ailleurs, la répression était féroce. L'extraordinaire, c'est l'espèce d'incrédulité que ces récits rencontraient, ou plutôt leur éloignement dans l'espace, leur irréalité. On aurait dit que ces réfugiés venaient du fond de la Chine, que leur histoire se situait dans un univers si lointain que les Français ne pouvaient en aucune façon se sentir concernés, même les plus disposés à compatir.

En 1937, nous étions quelques-uns autour de Louis Jouvet dans un hôtel au bord de la Manche. Il était venu passer le week-end avec la petite équipe qui travaillait au scénario d'un film dont il devait être l'interprète principal. Un journaliste de ses amis, fort connu, l'accompagnait. L'humeur était exquise, Jouvet brillant et cocasse comme à l'accoutumée. Le dîner s'achevait lorsqu'un jeune couple s'approcha. S'adressant à Jouvet, qu'il avait reconnu, l'homme dit :

« Nous venons de nous évader d'Allemagne... Ici, nous avons l'impression que personne ne sait ce qui se passe là-bas... »

Jouvet l'engagea à parler. Alors il commença, alternant avec sa jeune femme. Ils racontèrent longtemps, dans un français heurté mais correct. Nous étions glacés.

« Hitler veut la guerre, conclut le jeune homme. Nous, on va partir pour l'Amérique. Vous, vous aurez la guerre ici... »

Ils disparurent. Le journaliste haussa les épaules, l'air de quelqu'un qui sait et que les inepties irritent.

La guerre? Avec une sottise dont je mesure l'ampleur, j'avais pour elle de la curiosité, à force d'en avoir entendu parler. C'était comment, la guerre?

« La guerre, c'est une connerie, dit Jouvet. Mais il n'y aura pas de guerre. »

Tout le monde l'approuva. Il commanda du champagne. Un instant obscurcie par les deux messagers de l'Enfer, la soirée reprit.

Aveugle, je l'étais autant que les autres. Plus que les autres, en ce sens que je nourrissais une admiration inconditionnelle pour la France, celle que j'avais bue avec le lait de ma mère, la France grande, héroïque, généreuse, rayonnant de tous les feux du cœur et de l'esprit, la France où chaque vallon, chaque rivière, chaque colline étaient sacrés, et sacrés Jules Ferry, Pasteur et Clemenceau, la France laïque, la France des Lumières, bref la France, singulière entre toutes les nations. Puissante et invincible.

Cette ferveur, rien ne l'épuisera jamais complètement, même si ce qu'il m'en reste m'attire les taquineries des miens. Je ne me promène pas drapeau à la main, le nationalisme m'est étranger, la fameuse arrogance française aussi; sous bien des aspects, y compris physiques, la France d'aujourd'hui n'a plus de rapport avec la « douce France de mon enfance »; j'ai horreur de l'ersatz d'américanisme qui l'imprègne, je pourrais énumérer à longueur de pages les griefs que je nourris contre elle, mais cesse-t-on d'aimer parce qu'on a des griefs?

J'ai appris à aimer la France comme une personne aux traits adorables, supérieure en tous points. Elle a pris quelques rides, je veux bien, et parfois on craint de la sentir comme essoufflée. Elle m'est d'autant plus chère que je la sens plus fragile, menacée par les grandes métamorphoses de notre temps. Mais si le mot civilisation a un sens, s'il existe un peuple civilisé, c'est en France.

En 1937, l'idée que je me faisais de la France me rendait particulièrement inapte à pressentir la tragédie qui l'attendait. Et puis, nous avions la ligne Maginot, n'est-il pas vrai? Mais, étrangement, j'ai gardé dans la rétine le regard bleu du jeune Allemand qui parlait de Dachau. Peut-être parce qu'il y avait dans ce regard du désespoir devant notre politesse, devant l'incommunicabilité de l'avertissement qu'il nous lançait.

J'aimais tendrement Louis Jouvet, que j'ai quasiment vu mourir dans son théâtre, en 1951, un quinze août où aucun médecin ne se trouvait à Paris. Journée de cauchemar.

Je l'admirais beaucoup. Le cinéma était pour lui une activité essentiellement alimentaire. Sa vie était au théâtre, dans son théâtre où il sautait tous les soirs, en sortant du studio, pour entamer sur scène une seconde journée de travail. Heureusement, il avait, comme Napoléon, la faculté de dormir partout, même debout. Il jetait son grand corps contre un portant, sur une chaise, et hop! Cinq minutes, dix minutes, c'était autant de pris.

Assistante dans le film où j'ai fait sa connaissance, *Éducation de Prince*, il m'appartenait de le réveiller au moment opportun. Je m'efforçais de compter au plus juste. J'effleurais son grand front bosselé. Alors il ouvrait l'œil, son célèbre œil froid, m'embrassait la main et disait : « Tu es bonne, mon chéri. »

Le *tu* et le *chéri* étaient des automatismes de son vocabulaire – aux hommes, il disait : « mon petit père », et aux chiens : « salopard » – , mais ils étaient plus doux à l'oreille que les « Vous êtes idiote, mademoiselle » dont Raimu, illustre butor, m'abreuvait à mes débuts.

Comme tous les gens de théâtre, Jouvet était

bourré d'anecdotes. Comme peu de comédiens, il aimait à manier les idées. Non pas les idées générales, ce qui est à la portée de n'importe qui ou à peu près, mais les idées concrètes et singulières qu'il produisait. Il se posait beaucoup de questions et le vernis humoristique donné à ses propos par son élocution cachait mal une solide difficulté d'être.

À la fin de sa vie, ses tourments spirituels devinrent aigus, au point qu'il se reprochait de jouer le *Dom Juan* de Molière, la pièce blasphématoire.

Dur dans ses jugements, drôle, grave parfois, il aurait découragé Roméo d'aimer Juliette. Ah! les femmes! Il n'en parlait qu'au pluriel, c'est toujours mauvais signe. Fascinées par ce regard clair où elles croyaient lire de la cruauté, elles se couchaient devant lui avant qu'il ne leur eût dit de s'asseoir. Mais ça n'arrangeait rien, au contraire. L'amour? Ha! Il ricanait.

Quand je l'ai connu, il était, à quarante ans, dans tout l'éclat de sa carrière d'homme de théâtre. La rencontre avec Giraudoux, si féconde, avait eu lieu. Le cinéma commençait à le délivrer de ses tracas d'argent. Il n'était pas heureux, mais il donnait le sentiment d'être totalement maître de son art, déployé.

Souvent, j'allais l'attendre au théâtre, dans le bureau blanc bourré de livres qui jouxtait sa loge. Avant le spectacle, il avait le trac. Il a toujours eu le trac. Après, il sortait de scène en sueur et s'essuyait à grands coups de serviette-éponge, dans un remugle de maquillage et d'eau de toilette, en lançant ses « Bonjour, mon petit père, bonjour, mon chéri » aux amis qui venaient le saluer. À l'heure où les honnêtes gens vont dormir, nous allions dîner.

Un jour, je suis arrivée défaite. J'étais sans travail depuis deux mois, et le film sur lequel je comptais venait d'être repoussé. Un de mes bas avait craqué, ces bas de vraie soie que l'on remaillait et que l'on reprisait au talon. Et cette zébrure sur ma jambe achevait de me rendre misérable.

Jouvet a tout de suite compris. Il avait une grande expérience de la pauvreté. Il a libellé un chèque et l'a glissé dans mon sac. Qu'est-ce qu'il avait fait là! Je lui ai joué le grand air de « je ne mange pas de ce pain-là ». Œil glacé, il m'a jeté : « Tu ne pourrais pas faire les choses avec simplicité?... Aujourd'hui, je peux t'aider, demain c'est toi qui m'aideras. Tu es capable de comprendre ça, non? »

Faire les choses avec simplicité : on ne m'avait pas enseigné cela. Ce fut comme si Jouvet m'avait arraché un maquillage d'afféterie, de minauderie, de comédie dont j'étais, comme tout le monde ou presque, barbouillée. On ne se débarrasse pas d'un coup d'un tel maquillage, on s'en nettoie peu à peu. J'ai commencé ce soir-là.

Louis Jouvet était acteur aussi. Il n'était pas acteur seulement.

L'acteur est un animal d'une espèce tout à fait particulière. Les uns sont intelligents, les autres sots, peu importe. Le talent de l'acteur ne transite pas par l'intelligence. Il arrive même que celle-ci nuise. C'est plutôt un sens, un sixième sens qu'il est toujours étonnant de voir fonctionner chez les grands.

Quelquefois, il ou elle est là, l'air bougon, les coins des lèvres tombant, vaguement irrité d'attendre, indifférent à ce qui l'entoure. Le metteur en scène répète ses indications, les précise. Il ou elle n'essaie même pas d'avoir l'air de comprendre, il ou elle n'a rien à en foutre, voilà. Et puis on dit : « Moteur, ça tourne », et s'opère la transfiguration. D'un coup, en un regard, un geste, une réplique, un personnage surgit. Et, sur l'écran, il y aura ce miracle donné à un très petit nombre : la présence.

En dix ans de plateau, j'ai côtoyé tout ce que la France comptait de vedettes, je les ai vues maquillées et démaquillées, impérieuses et pathétiques, illuminées par une nouvelle liaison ou ravagées par le champagne, sublimes en projection et couperosées sous le fond de teint, j'ai vu émerger Jean Gabin, bel animal lustré par son soudain succès, le mors tenu court par une épouse qui veillait aux créneaux; Michel Simon, inquiétant maniaque, qui me glissait sous les yeux, pendant que je le faisais répéter, des objets pornographiques dont il faisait collection; Pierre Fresnay, distant comme un patron; Gaby Morlay, comédienne miraculeuse dont trois diffuseurs ne parvenaient plus à camoufler les rides... Plus tard, j'ai vu Danielle Darrieux, bourrée de champagne, se réveiller fraîche comme un bouton de rose; j'ai vu débuter une grosse fille brune qui s'appelait Jeanne Moreau, et puis celui-ci, et puis celle-là...

Mais il est très rare qu'un non-acteur établisse des relations profondes et durables avec un acteur. Ils se voient entre eux, ils se racontent des histoires de boutique. Ce sont des gens fragiles qui ont besoin d'être sans cesse caressés. Narcissiques, coupés de ce qui n'est pas eux, risquant à chaque film leur carrière et le sachant, ils sautent de toboggan en toboggan. Ce sont des artistes, il est beau qu'on les nomme ainsi.

En scène, l'artiste est heureux. Quand il tourne, l'artiste est malheureux parce qu'il est agi plus qu'il n'agit. Il ne gouverne rien, pas même son personnage éparpillé au gré du tournage. Tout ce qui se décide pendant les prises de vues d'un film lui échappe. On le trimballe ici, on le pose là, il attend, il attend énormément. Et s'il sait ce qu'il fait, il ne sait jamais ce qu'on fait de lui.

Certains gros caprices n'ont pas d'autre origine. C'est une sorte d'affirmation de soi à un moment où la lourdeur de l'appareillage, la couleur du ciel en extérieurs, les rigueurs du plan de travail, les mille et un éléments qui concourent aux prises de vues finissent par donner à l'artiste le sentiment d'être accessoire, relégué au second plan. Ce jour-là, il gueule. C'est lui la Vedette, oui ou merde?

C'est lui. C'est elle. Un film, à la fin, qu'est-ce que c'est? Deux ou trois visages sur grand écran qui font rire, pleurer, rêver. Changez ces visages, et il restera quoi? De bons acteurs, peut-être, dans une bonne réalisation. Un bon acteur n'a jamais fait rêver personne. C'est le don de l'artiste quand il a cette dimension supplémentaire qui fait les étoiles, quand il émet cette lumière-là.

Et tant pis si, dans la vie, nombre de ces artistes sont comme des coquilles vides.

Souvent, d'autres artistes le sont aussi, les peintres. Captivants quand ils parlent de leur métier, leur parole, autrement, est pauvre. Pas toujours, il y a de notables exceptions, mais souvent. Ce qu'ils ont à dire, c'est sur la toile qu'on le trouve, cri tendu, vibrant, c'est par les moyens de l'art qu'ils communiquent la part la plus secrète d'eux-mêmes. Les mots leur servent peu.

J'ai vu peindre Picasso, pendant qu'il tournait le document que lui a consacré H.G. Clouzot. Parce que c'était Picasso, le moindre de ses propos était recueilli pieusement, le moindre des papiers maculés récolté comme une pierre précieuse. Le petit homme noir offrait un spectacle étonnant. Il travaillait vite sur cette vitre que Clouzot avait imaginé de lui faire peindre pour filmer, par transparence, le processus de la création, et la naissance de l'œuvre fascinait comme l'éclosion d'une fleur tournée au ralenti, quand on voit le bourgeon éclater, les pétales s'ouvrir.

Ensuite, il y eut un moment de détente, un déjeuner où s'établit une conversation. Les « mots » de Picasso étaient fameux, sa cruauté et sa superbe aussi. Hélas! Celui qui fut devant nous ce jour-là ne cessa de gémir parce que sa femme venait de le quitter. Elle avait emmené leurs enfants et, manifestement, il en souffrait. Un pauvre homme, pitoyable.

Je n'avais pas imaginé Picasso larmoyant, et sans doute n'était-ce pas courant. Mais qu'il fut donc ennuyeux! Il se plaignait aussi d'avoir mal à l'estomac. Pourquoi pas? Rien de tout cela ne lui enlevait un pouce de son génie. Simplement, ce génie, il fallait le chercher là où il était, dans sa peinture, dans sa sculpture, pas dans la trivialité du quotidien.

Je n'avais pas seize ans lorsqu'il m'arriva ce dont je rêvais : rencontrer André Gide.

Son neveu, le vrai, Dominique Drouin, qui travaillait avec son neveu, le faux, Marc Allégret, comme directeur de production, m'avait dit : « Ça t'amuserait que je te présente à l'oncle André? Tu pourrais l'aider pour son courrier, il n'a personne, en ce moment... Viens chez lui, dimanche. »

Jamais, de ma vie entière, je ne me suis préparée à une entrevue comme à celle-là. Ce qu'était alors le prestige intellectuel de Gide, rien ne peut en donner l'idée aujourd'hui. Je connaissais par cœur *Les Nourritures terrestres*, « Nathanaël, je t'enseignerai la ferveur », *Paludes* aussi, et *La Porte étroite*. Mais s'il allait m'interroger sur *Les Faux-monnayeurs* que je n'avais pas encore lu? Je me jetai dessus. J'imaginais cette rencontre comme une joute où il me jugerait sur mon exacte science de son œuvre. Saurais-je briller? Me rangerait-il, comme le héros des *Caves du Vatican*, parmi les subtils ou les crustacés?

À l'heure dite, j'arrive rue Vaneau. Il y a deux portes sur le palier qui commandent le même appartement. L'une est ouverte, je la pousse, et entre dans une grande pièce claire, style chambre de jeune homme. Du plafond, très haut, pend un trapèze. Au milieu de la pièce, debout, un homme au crâne lisse fait des gestes désordonnés devant un Asiatique qui lui donne des ordres secs. L'homme chauve, c'est Gide. Il prend sa leçon de yoyo. Dominique Drouin les regarde.

– Approchez, approchez, mademoiselle, dit Gide. Vous connaissez ce jeu?

Étranglée d'émotion, je dis oui.

– Montrez-moi ce que vous savez faire...

Il me tend son yoyo. Je fais ce que tous les jeunes gens du moment savent faire, et dont Gide est visiblement incapable : le yoyo monte et descend.

Gide est ravi. Il me félicite. Il renvoie l'Asiatique. Il dit que je vais lui servir de professeur. Drouin s'amuse. Je suis effarée, interdite, déconcertée par mon grand homme, à en pleurer. Heureusement, il se fatigue. Nous quittons la grande pièce – c'est l'appartement d'Allégret – pour passer dans la bibliothèque de Gide, longs rubans de livres sur double étage enroulés autour d'un piano à queue.

– Domi m'a dit que vous vouliez bien vous charger de mon courrier, dit-il.

– Oui, monsieur.

– Quel âge avez-vous?

– Quinze ans et demi.

– Ah..

Il m'observe. Puis me tend un livre.

– Rangez ceci, je vous prie.

Il s'agit du *Port-Royal* de Sainte-Beuve. Je flaire un piège, mais lequel? J'ai déjà eu affaire à un auteur dramatique, Jacques Deval, qui donnait des livres à classer au plus haut rayon de sa bibliothèque pour le plaisir de regarder sous la jupe de ses dactylos. Ce n'est pas le genre de Gide. Je cherche les S, je glisse Sainte-Beuve.

– C'est bien, dit Gide, à B, vous n'auriez pas fait mon affaire.

Un vrai chien! Classer Sainte-Beuve à B, il m'a prise pour qui?

À la fin de l'après-midi, il décide de m'emmener au cinéma. Nous allons voir *La Dame de chez Maxim's*, le film d'Alexandre Korda, qui commence sa carrière. Du Feydeau! C'est le bouquet.

J'étais une jeune sotte, trahie par son idole, décontenancée de découvrir que la notoriété est un manteau de lumière qui se désagrège dès qu'on le touche du doigt, quoi qu'il y ait dessous. Une leçon que l'on ne reçoit jamais trop tôt.

Plus tard, je me suis intérieurement réconciliée avec Gide qui, cela va de soi, s'en moquait éperdument.

J'étais pour lui transparente. Ainsi sont pour la plupart des gens les serveurs de restaurant, les dactylographes, à moins qu'elles n'aient un physique remarquable, et quelques autres catégories de personnel. Il arrivait à Gide de jouer du piano en ma présence, ce qu'il ne faisait devant personne, parce qu'il ne me voyait pas. Alors son visage d'idole japonaise, fermé, barré de lèvres droites, s'ouvrait fugitivement.

De cet homme sec sortait une voix moelleuse, souple, qu'il avait beaucoup travaillée en faisant des lectures devant de petits cercles d'auditeurs et en déclamant des vers pendant qu'il marchait. Il était assez vain de cette voix.

Tout le retenait – y compris le yoyo – dès lors que ses contemporains y portaient intérêt. Il s'enroulait dans sa cape de loden, attrapait son chapeau pointu et courait s'engouffrer dans quelque salle obscure pour voir le dernier film en vogue. Il saisissait partout le neuf et ne le rejetait qu'après l'avoir décortiqué.

Le cinéma l'a toujours passionné. Quand Allégret a entrepris *Sous les yeux d'Occident*, d'après le livre de Conrad, il s'est appliqué à en faire les dialogues avec une humilité de débutant. Je n'étais pas peu fière, moi, de taper du Gide sur ma machine.

Un jour, il m'a dit : « Venez, je vous emmène. Nous allons déjeuner avec un jeune homme qui est beaucoup plus intéressant que ses livres. »

Nous voilà partis au Petit Voltaire, où il avait ses habitudes. Le jeune homme n'était pas encore là.

« Il n'est jamais à l'heure, dit Gide. Vous allez voir, il est épuisant, il parle sans se soucier un instant de savoir si on l'écoute, si on le comprend, si on le suit... C'est un cas. »

Le jeune homme rejoignit notre table. C'était André Malraux.

Gide plus âgé, Malraux électrique, ils faisaient un fameux couple, tous les deux, si dissemblables, si mal accordés et si souvent fourrés ensemble, cependant, non seulement dans les bureaux de la N.R.F., mais à la tribune de quelque congrès contre le fascisme. Ils étaient même partis main dans la main pour Berlin remettre à Hitler une supplique demandant la libération de Dimitrov, le faux auteur de l'incendie du Reichstag. Hitler n'avait pas daigné les recevoir.

Ce jour-là, il me semble qu'il fut surtout question de l'U.R.S.S., dont Gide était rentré désabusé. Aucune pression ne l'avait dissuadé de publier un petit livre retentissant où il énumérait les causes de sa déception. Malraux le lui reprochait...

Mais je ne vais pas inventer les termes d'une conversation dont je n'ai retenu que des bribes, bien que ce soit un genre à la mode. D'ailleurs, je n'écoutais pas vraiment. J'étais fascinée par ce jeune homme magnétique qui semblait ne jamais reprendre sa respiration.

Je n'ai jamais relu *Les Nourritures terrestres* et je ne le veux pas. Le livre a sans doute mal vieilli. Mais le choc que j'en ai reçu, le message proprement révolutionnaire qu'il portait en son temps, l'écho ne m'en a jamais quittée.

Je l'ai entendu chaque fois que j'ai rompu des amarres : « Sors de ta ville, de ta famille, de ta chambre, de ta pensée... Aime sans t'inquiéter si c'est le bien ou le mal... J'ai porté hardiment la main sur chaque chose et je me suis cru des droits sur chaque objet de mes désirs... Une existence pathétique plutôt que la tranquillité... »

Ah, il nous a secoués, le père Gide, quand nous étions petits!

Beaucoup d'années ont passé et puis, peu de temps avant sa mort, en 1951, j'ai demandé à Gide un entretien. J'étais devenue journaliste, la Comédie Française montait une pièce tirée des *Caves du Vatican*, je souhaitais l'interroger sur cet événement. Il m'a reçue, couché dans un petit lit de fer, très lucide à quatre-vingt-un ans, et même aigu, se moquant des critiques qui prétendaient avoir été influencés par *Les Caves* lors de la publication du livre. « J'ai eu douze lecteurs, disait Gide. Douze! »

Il m'a raconté des anecdotes en m'appelant, selon son habitude, « Chère ». Nous avons évoqué quelques souvenirs. À la fin, je lui ai demandé :

« Le coup de Sainte-Beuve, vous le faisiez à tout le monde? »

Il a souri :

« Quelquefois... C'est un moyen pour mesurer les connaissances. Vous étiez si jeune...

– Mais moi, je n'avais pas de connaissances! Je lisais seulement...

– Eh bien, continuez! » dit Gide, impatienté.

Et il se retourna dans son lit.

On est triste à vingt ans. J'étais triste. À notre folle misère d'autrefois, bariolée d'extravagance, s'était substituée la grise médiocrité. L'absence d'horizon. Nous vivions petitement, tout petitement. J'avais à charge une grand-mère abhorrée dont la pension, dans une sorte de maison de retraite, s'ajoutait à nos dépenses obligées. J'aurais aimé qu'elle meure, mais elle ne mourait pas.

Douce nous avait quittées pour épouser un homme qui ne me plaisait pas, cagoulard, pur produit de la bourgeoisie provinciale. Loin d'elle, je me morfondais. Aucune amie n'aurait su la remplacer. D'ailleurs, je n'ai jamais eu d'amie aussi longtemps que Douce a vécu. C'était elle, mon amie, mon soleil, celle qui donnait à ma vie un sens que je ne lui ai jamais trouvé. Cela a-t-il un sens de faire son devoir? Je le faisais; pas de quoi s'enivrer. Le clinquant du cinéma, les vedettes caractérielles, les gens célèbres à tous les repas, j'en avais pris la mesure. L'intérêt du métier n'était pas là, mais dans ce qu'il comporte de création. Même le film le plus insipide est, pour une part, une œuvre de l'esprit. Les machinistes qui poussent le travelling participent à cette œuvre. Les ouvriers de cinéma en ont d'ailleurs une vive conscience. J'étais inscrite dans le processus de création à une place qui n'était pas insignifiante, mais allais-je y rester cent ans?

Le temps me paraissait long, si long à passer et pour aller où? Comme tous les très jeunes gens, j'ignorais que j'étais jeune et que c'est là un état provisoire. J'avais d'ailleurs décidé que je me suiciderais avant cinquante ans pour ne pas connaître cette disgrâce. Une idée, comme ça.

Je le dis un jour devant Marcel Pagnol qui faillit, je crois, me gifler. La seule évocation de la mort lui était insupportable. Gentil, adorable Pagnol, gai, rusé, chaleureux, sans nerf, calme comme sa grande écriture dont il remplissait feuille après feuille, sans une rature, incrédule devant son succès, incertain de son génie, toujours enclin à se prendre pour un imposteur qui serait un jour démasqué et dont on dirait alors : « Vous voyez? Il n'a pas de génie du tout, il vous a dupé! »

J'avais passé quelques mois délicieux à côté de Saint-Exupéry, dont j'ai parlé ailleurs. Il avait été mon ange gardien pendant les prises de vues de *Courrier Sud*, au fond du Maroc. Auparavant, j'avais, comme d'habitude, tapé les versions successives du scénario, dans cette chambre de l'hôtel Lutétia où il vivait perché comme un oiseau sur la branche, toujours fauché, crucifié par sa femme qu'il aimait et qui le trompait. À la fin de la journée, nous allions faire un tour aux Deux-Magots. Il avait un physique très particulier, un petit nez court, retroussé, entre des yeux très écartés dans une tête ronde d'animal en peluche. Le tout planté au bout d'un grand corps qui n'avait jamais froid.

Un jour, il a voulu me donner le baptême de l'air. J'en fus gonflée d'importance! On imagine mal aujourd'hui ce qu'était un avion dans ces années-là, la somme de romantisme qu'il véhiculait, la somme de dangers qu'il évoquait. Au début des années cinquante encore, on ne traversait pas l'Atlantique vers le sud ou vers le nord sans se précipiter à l'arrivée pour télégraphier à sa mère : « Tout va bien... »

Donc, je suis montée dans le Caudron rouge de Saint-Ex, un tout petit avion à deux places, et j'ai découvert pour la première fois la terre vue d'en haut, son carrelage brun et vert. J'étais en train de m'émerveiller lorsque quelque chose a fait « crrac ». Nous avons atterri en catastrophe du côté d'Annemasse. Ooooomph! Saint-Ex était vexé...

Il m'écrivait aussi des poèmes en prose où la lune envoyait d'un coup d'épaule deux cent mille vagues vers le Chili, il m'apprenait de vieilles chansons, il manipulait les cartes comme un prestidigitateur professionnel, il était romanesque, il avait le culte de l'exploit individuel...

De ce côté-là, je n'avais pas besoin qu'on m'encourage! Je l'écoutais, fascinée, raconter le désert où il était resté si longtemps, sans boire, à côté de son avion cassé... Il en avait rapporté un bout de branche pétrifié, tout noir. Il me l'a donné. Je l'ai encore. Quand il me tombe sous la main, je pense furtivement à Saint-Ex. Je ne suis pas sûre qu'il était très intelligent, mais il est le premier à m'avoir parlé d'honneur autrement que Corneille. L'honneur, valeur virile... On sait où l'on plaçait, alors, celui des femmes : dans leur culotte. L'honneur à quoi tout devait être subordonné, selon Saint-Ex qui n'était pas un bourgeois de son siècle, mais un aristocrate d'un autre temps. L'honneur sur quoi il ne faut jamais transiger. Il aurait pu m'apprendre à piloter, mais non, il m'a enseigné l'honneur. C'est moins utile, et plutôt plus dangereux.

J'ignore s'il a jamais eu la tentation de me traiter comme une femme. Je ne le crois pas. Il se posait comme le preux chevalier protecteur de la jeune fille contre les vilains qui pouvaient attenter à sa vertu. Ce fut efficace. À Mogador, où se trouvait l'état-major de la production, il occupait la chambre voisine de la mienne et on ne voit pas qui, parmi les quarante hommes de la troupe, se serait enhardi à pénétrer chez moi.

Il y eut cependant un amateur, d'un genre un peu particulier, le chef des Hommes Bleus, venus de Goulimine pour assurer la figuration du film. Il fit savoir qu'il désirait m'acheter. Le régisseur objecta que ces choses-là, chez les Français, ne se faisaient pas. Mais l'Homme Bleu insista. Il augmenta ses prix : vingt chameaux et cinquante réveille-matin, qui pouvait trouver cela insignifiant? Un nouveau refus le rendit furieux. Il menaça de repartir avec sa troupe. Le régisseur s'affola, demanda à Saint-Ex d'aller lui parler. Des paroles habiles dissuadèrent l'Homme Bleu de persévérer. Mais je fus doublement gardée.

Au moins étais-je informée de ma valeur marchande : vingt chameaux et cinquante réveille-matin.

Cela ne m'éclairait pas vraiment sur mon avenir, ni, plus simplement, sur moi-même. Qui étais-je et pour quoi faire? Maintenant que j'avais un métier, que nous ne vivions plus d'expédients, mais de l'honnête produit de mon travail, la question se posait, aiguë.

« L'impérieuse obligation d'être heureux... », écrivait Gide, mon gourou. « Le courage de devenir sa vérité... » Des mots, des mots.

Je pataugeais dans la délectation morose. Souvent, parce que j'étais jolie à voir dans le genre étudiante/Palmolive, des metteurs en scène avaient songé à me faire tourner. Actrice?... J'avais vaguement caressé cette idée, mais quelques essais m'en avaient dissuadée. Le talent n'y était pas. On se tient, on ne montre pas ses sentiments, ses émotions : tout ce que l'on m'avait enseigné paralysait la moindre de mes tentatives pour prononcer trois phrases. On ne pouvait pas avoir moins de dispositions pour jouer la comédie.

Un vieux réalisateur charmant, Jacques de Baroncelli, insista cependant. Il avait besoin d'une jeune fille brune pour *Le Roi de Camargue*. J'étais, disait-il, celle qu'il cherchait. Il s'agissait de paraître plus que de parler. Il me donna le scénario à lire. Je crus m'étrangler. La jeune fille apparaissait sortant nue de la mer. Nue! Outrée qu'il eût osé m'imaginer dans cet emploi, je lui rendis son scénario accompagné d'un refus sec. Quelle emmerdeuse j'étais! Mais enfin, ceci se passait il y a un demi-siècle. Baroncelli ne se formalisa pas, au contraire. Il me dit gentiment : « Vous avez raison, ma petite fille. »

Cet épisode mit le point final à ma non-carrière d'actrice.

Au printemps 36, j'étais scripte dans un film de Marc Allégret lorsque, arrivant au studio de Billancourt, je trouve les grilles fermées. La vague spontanée de grèves – douze mille – qui a suivi la formation du gouvernement du Front populaire, parce que le monde du travail s'impatiente, cette vague soulève maintenant les ouvriers du cinéma : comme ceux des usines ou du bâtiment, ils font grève sur le tas.

Sur le trottoir, techniciens et employés de la production discutent. Si les prises de vues du film s'arrêtent, à la fin de la semaine nous ne serons pas payés. Je ne serai pas payée.

Un régisseur, furieux, grogne : « Bande de

salauds! Quand ils auront tout démoli, ils seront contents. Avec quoi on va bouffer, nous, la semaine prochaine? » Il ouvre la portière d'une voiture et me dit : « Allez, monte. Je te ramène à Paris. Ce n'est pas la peine de traîner ici pour attraper un mauvais coup quand les flics arriveront pour déloger ces imbéciles. »

Mais je n'ai pas envie de monter, pas du tout. Je vois que deux camps sont en train de se former. Dans l'un de ces camps, il y a le régisseur qui joue les petits chefs, et aussi beaucoup de gens que je connais et que les élections ont paniqués. Le camp de ceux qui ont peur. Peur des ouvriers. Si j'avais peur, je partirais, mais je ne vais pas faire semblant. D'ailleurs, les ouvriers qui sont là, massés derrière les grilles, je les connais tous, depuis longtemps; nous avons partagé des heures et des heures de travail, des repas, des voyages. Je ne peux pas avoir peur d'eux. Ce n'est pas de leur côté qu'on me fera jamais mal.

Au lieu de monter dans la voiture, je marche vers les grilles parce qu'il faut, physiquement, que j'aille vers eux, il faut, physiquement, que je choisisse entre les deux camps. Humiliée parmi les humiliés, je rejoins naturellement celui où j'ai le plus de chances de trouver un peu de fraternité. Sur l'autre camp, je suis édifiée.

À travers la grille, un machiniste m'aperçoit, m'appelle et me dit : « Il faudrait faire une commission à ma femme pour qu'elle apporte à bouffer... » Je réponds que je vais y aller. J'ai choisi. La voiture est repartie sans moi. Le lendemain, le régisseur me dira : « Je n'aurais jamais cru que tu étais communiste... Toi qui la ramenais tellement... »

Communiste, la réputation m'est restée, usurpée, à cause de cette scène. Communiste et snob, parce que je n'aime pas tutoyer. Jolie combinaison.

Mais, au fait, que suis-je? je n'en sais rien. C'est bien ma difficulté.

Aurais-je été un garçon, je me serais peut-être engagée, en ces années-là, dans les Brigades internationales qui se formaient pour aller combattre en Espagne. Ma mère m'y aurait précipitée, je crois bien. Elle assistait avec horreur à cette bataille de nations qui se livrait sur le corps de l'Espagne, à cette conjonction des fascismes nouée pour écraser la jeune république. *Paris-Soir*, que nous lisions comme tout le monde, avait chargé Saint-Exupéry de couvrir la guerre civile. Il avait eu cette phrase inoubliable : « Ici on fusille comme on déboise. » Que faisait la France pour aider les républicains? Que faisait la Grande-Bretagne? Rien, précisément. Quelle honte!

Un vieil ami, Jean W., qui partageait nos colères, m'emmena un soir à la Mutualité entendre André Malraux qui tenait meeting. Il arrivait d'Espagne où il commandait son escadrille de volontaires. Il reçut une folle ovation du public. Malraux était médiocre tribun. Son propos était nourri de trop d'images littéraires, excessivement élaborées. Le magnétisme qu'il dégageait dans la vie et que j'avais éprouvé le jour où Gide me l'avait fait connaître, ce magnétisme que j'éprouverai si souvent plus tard, à chaque rencontre, se diluait dans les périodes trop festonnées. Mais, dans les moments où il retrouvait une éloquence sèche, il arrachait la salle.

Il disparut sous une houle d'acclamations, derrière une forêt de poings tendus.

« Tu as entendu, me dit Jean W., ce qu'il a dit? Il a dit que la question est de savoir si le camp républicain réussira à transformer la ferveur révolutionnaire en discipline révolutionnaire... Si ce n'est pas encore fait, ils sont fichus! »

Nous sommes rentrés, songeurs, de tout cœur avec Malraux, mais troublés. Quelques jours après, l'aviation allemande bombardait Guernica.

La guerre d'Espagne, dans son atrocité, allait encore durer près de deux ans. Comment n'a-t-on pas vu qu'il s'agissait d'une répétition générale? Je ne parle pas pour moi, si petite encore, ni pour les gens de mon âge, ni pour ceux, les plus nombreux, qui vivaient le nez sur leurs difficultés quotidiennes, et elles étaient de taille, en France, en ces années 1936-1937! Mais les classes dirigeantes, les élites, les responsables? Peur? Oui. Ils avaient peur. Du communisme. Avec une remarquable perspicacité, ils n'ont jamais eu peur d'Hitler.

Aucun travail ne s'annonçait, quand on me proposa de taper à la machine les états successifs du scénario de *La Grande Illusion*, que Charles Spaak et Jean Renoir cogitaient douloureusement. J'acceptai, vaguement humiliée d'être ainsi rétrogradée.

Je tapais et retapais, à croire qu'ils n'en finiraient jamais. D'ailleurs, ils n'en finirent jamais. Et les premières prises de vues eurent lieu, dans la caserne de Colmar, avec un scénario inachevé. Entre-temps, j'avais été engagée comme scripte et un miracle s'était produit. L'homme qui était provisoirement mon « patron », le metteur en scène, Jean Renoir, me voyait. Il ne me voyait pas comme un objet d'attendrissement – elle est si jeune! – , pas davantage comme un objet de désir, mais comme on voit un être humain quand on prend le temps de le regarder et de l'écouter.

Cet homme lourd et roux, aux yeux très bleus, traînant une jambe blessée lors de la Première Guerre, n'était pas particulièrement gracieux. Exigeant dans le travail, rude avec son assistant Jacques Becker, il pouvait être dur. Mais il savait que les hommes et les femmes, vedettes ou balayeurs, ont un besoin vital : extraire des autres un peu de considération. Et il leur en donnait, il m'en donnait. Sous son regard, je vieillissais à vue d'œil, ce qui, à dix-huit ans, est du temps gagné sur l'indécise jeunesse. Je devenais un faisceau de virtualités, une personne en devenir. Il ne m'annonçait rien de glorieux, rien de flatteur. Il disait seulement : « Vous êtes douée... » Douée pour quoi, je ne savais pas exactement.

Je le regardais travailler comme si, à force d'attention, j'allais m'incorporer son savoir. L'art qu'il avait de diriger, c'est-à-dire d'utiliser les hommes et les femmes, d'en tirer le meilleur, et, ce faisant, de les rendre heureux.

Si, plus tard, j'ai su donner parfois à quelques-uns du plaisir à travailler, à « s'arracher », si j'ai su transmettre une certaine manière de gouverner, c'est à Jean Renoir que je le dois.

C'était le Maître, sans la férule. Un cas rare d'homme assez sûr de sa virilité pour n'avoir pas à l'exhiber, à dominer. Jacques Becker l'appelait par son prénom. Je l'ai toujours appelé Monsieur.

La Grande Illusion a débuté de façon saugrenue. Les toutes premières scènes de figuration avaient été tournées lorsque la nouvelle nous parvint : Eric von Stroheim, pressenti en catastrophe pour interpréter le colonel allemand, venait de donner son accord. Joie, excitation. Stroheim n'avait encore jamais tourné en France, c'était un dieu pour les gens de cinéma qui connaissaient son œuvre plan par plan.

Il arrive, flanqué d'une infirmière – en tout cas d'une dame déguisée en infirmière, ce point n'a jamais été éclairci. Et il demande à voir des rushes. Il n'y a pas de rushes, le peu qui a été tourné n'est pas encore développé. Mais l'ingénieur du son, Jean de Bretagne, a enregistré deux heures durant du bruit de bottes, pendant que les soldats-figurants manœuvraient dans la cour de la caserne. Il compte s'en servir au moment des mélanges. Le résultat est impressionnant. Jean Renoir emmène Stroheim au cinéma de Colmar et là, il lui fait entendre, interminablement, ce bruit de bottes. Stroheim n'a rien demandé de plus.

Dès lors qu'un tel personnage intervenait, le scénario était à remanier une fois encore. L'intelligence de Renoir fut de laisser Stroheim composer lui-même son personnage, son costume – la fameuse minerve –, imaginer ses accessoires, inventer ses scènes, les écrire. Il travaillait en anglais, Becker et moi donnions forme à son texte en français, Renoir parlait avec lui en allemand. Un autre réalisateur se fût sans doute enorgueilli de « diriger » Stroheim et hâté de montrer son autorité. Renoir fut, au contraire, le buvard capable d'absorber tout ce que l'autre avait à lui donner, et de l'intégrer à son œuvre personnelle. Il y fallait beaucoup de sûreté de soi. On connaît le résultat.

Pour l'anecdote : après la première projection privée de *La Grande Illusion*, Charles Spaak trouva le film si éloigné de ce qu'il avait écrit et, d'un mot, si mauvais, qu'il voulut en retirer son nom. Quant à la première projection publique, ce fut un désastre. Et puis, soudain, le film flamba.

Avec cette tranquille assurance que j'ai dite, Renoir pouvait accueillir toutes les critiques, accepter toutes les suggestions. Si bien que, dans les derniers jours du tournage en extérieur, tandis qu'il préparait, le matin, le travail de la journée, je lui dis :

« Monsieur, est-ce que je peux faire une observation?

– Allez y.

– Ce que nous allons tourner ce matin, c'est très mauvais. C'est faux psychologiquement. »

Il s'agissait de la dernière scène entre Jean Gabin

et Dalio, quand les deux évadés marchent dans la neige.

« C'est faux pourquoi?

– Parce que deux hommes dans cette situation ne s'attendrissent pas, ils s'engueulent. »

Renoir réfléchit un instant, puis :

« Si vous le sentez comme ça, écrivez-le. On verra. »

J'ai écrit la scène. Renoir l'a lue, il a changé quelques mots, il l'a montrée à Gabin et Dalio, ils ont changé quelques mots. Ainsi ai-je fait mes premiers pas de dialoguiste, cette spécialité bizarre.

Le dialogue n'est pas un genre littéraire, les meilleurs écrivains peuvent y échouer comme les meilleurs dialoguistes peuvent écrire médiocrement. Le dialogue est une musique qui s'écrit à l'oreille, très vite, que l'on saisit en quelque sorte sur la bouche des personnages. Exercice très amusant pour lequel il n'existe pas d'apprentissage. On a ou on n'a pas le sens du dialogue. L'avais-je?

Ce jour-là, je ne me suis pas posé la question. Dialoguiste : je n'en étais pas à nourrir de telles ambitions. J'éprouvais surtout le sentiment d'avoir eu du jugement. Renoir m'avait mis cependant le pied dans la porte : quand on me confia, en 45, tout le dialogue d'un film, *L'Ange qu'on m'a donné*, ce fut sur la recommandation de Jacques Becker, en souvenir de *La Grande Illusion*.

Les caprices de la vie ont voulu que, quarante ans plus tard, j'aie été appelée, ministre de la Culture, à décorer Jean Renoir de la Légion d'honneur. La cérémonie se passait à Los Angeles où il habitait. Il était très âgé. Immobilisé sur une petite voiture.

C'est peu de dire que nous étions émus, tous les

deux. Je me suis agenouillée pour dire, près de son oreille, les quelques mots de circonstance.

Ce n'était pas très protocolaire, mais je n'avais rien à en faire, du protocole. Devant Monsieur Renoir, j'avais le droit de mettre genou en terre.

Entre-temps, je l'avais revu, une ou deux fois. Je lui avais dit ma gratitude. Il ne comprenait pas. Il me disait : « Mais je n'ai rien fait, je n'ai rien fait... »

On ne sait jamais ce qu'on fait pour les autres. D'ailleurs, on ne fait pas. On est.

« Vous vous rappelez quand vous me disiez : " Il faut d'abord que vous ayez la vérole? "

– C'était vrai. Et vous l'avez eue?

– Pas concrètement. Non, ça m'a été épargné. Mais symboliquement, oui, je l'ai eue. Je suis agrégée ès vie. »

La formule lui avait plu.

À Los Angeles, il n'était plus en état de bavarder longuement. Je ne suis même pas sûre que cette cérémonie l'intéressait vraiment. Mais elle était jolie. Non pas, comme on l'a dit, parce que l'ancienne scripte décorait son metteur en scène. C'était l'aspect vulgaire des choses. Mais parce que la vie se retirait de Jean Renoir, et que j'en tenais le flambeau avant que mon tour vienne de le passer.

Le soir anniversaire de mes vingt ans, j'eus à prendre une décision délicate.

Un producteur de bonne réputation, S.S..., très laid, excessivement parfumé à l'*Aimant* de Coty, mais gentil, avait organisé un petit dîner pour fêter l'événement. Ce fou voulait m'épouser. Je lui avais promis une réponse ce soir-là. Il m'avait touchée en m'offrant le premier ouvrage publié dans la collection de La Pléiade. C'était un Baudelaire, relié en vrai cuir souple, vert. Je l'ai encore.

Nous étions dans un cabaret russe, *Le Poisson d'Or*, celui que Joseph Kessel choisissait de préférence pour y manger son verre et, quelquefois, les lunettes de ses voisins.

Tziganes et vodka, blinis et roses rouges dans le seau à champagne, l'atmosphère était à la fête. S.S... me regardait, attendri, comme si j'avais déjà la bague au doigt. Quand il me dit à l'oreille : « Est-ce que je peux annoncer à nos amis la bonne nouvelle?... », l'inspiration me vint subitement.

« Le sort va décider, lui dis-je. Donnez-moi une pièce. Je vais la jeter en l'air. Face, on se marie; pile, c'est non. »

Il était éberlué. Il m'a tendu la pièce. Elle a répondu non. J'étais sauvée, et, j'ose le dire, lui aussi. Il a fait plus tard un excellent mariage avec une personne raisonnable.

Débarrassée de l'hypothèse « mariage pour se marier », sans amour, sans appétit, il me restait à trouver ce que je faisais sur terre. Était-il possible que la vie ne soit qu'une succession d'actes destinés à se nourrir pour la conserver?

Mes méditations métaphysiques furent provisoirement remplacées par la perspective d'un « exploit » : j'allais devenir assistante, la première. Le métier était, jusque-là, fermé aux femmes.

Je devais cette promotion à un producteur portugais, Ayres d'Aguiar, et surtout à sa femme. D'Aguiar était un personnage fort distingué qui possédait, étrangement, le sens de l'invention comique. C'est lui qui a produit, et parfois réalisé, la plupart des films de Fernandel. Une mine d'or. Encore fallait-il savoir faire. Le comique est une mécanique de précision dont d'Aguiar manipulait les ressorts comme un horloger.

J'avais travaillé pour lui à deux reprises. Quand il mit en chantier *Les Rois du sport*, qui réunissait Raimu et Fernandel, sa femme insista pour qu'il me nomme première assistante du metteur en scène, Pière Colombier. Elle participait beaucoup à son activité. Il se fiait à son jugement. Il accepta.

C'était un risque, car le film était lourd. Une immense figuration; deux vedettes difficiles, Raimu surtout, chacune refusant d'attendre l'autre ne fût-ce que trente secondes sur le plateau, de sorte qu'il fallait synchroniser leurs déplacements; un réalisateur qui avait eu son heure de gloire mais qui, maintenant, s'enivrait dès l'aurore. Dur, dur. Mais les choses se passèrent bien. J'en tirai un peu de vanité et d'autres engagements comme assistante.

Je crois avoir donné aussi de l'ambition à d'autres scriptes qui n'avaient jamais imaginé de pouvoir faire « comme un garçon ». Dix ans plus tard, l'une d'elles, Jacqueline Audry, allait réaliser son premier film. Ce jour-là, on s'étonna que, de surcroît, elle fût jolie.

L'horreur, dans la pauvreté, c'est qu'il n'y a pas de raison pour que ça s'arrête.

J'avais une envie de parfums, un désir de vêtements bien coupés au lieu des jupes que je fabriquais moi-même et des chandails que je tricotais, je convoitais un gramophone automatique et je ne sais quoi encore d'inaccessible lorsque, pendant les prises de vues d'*Éducation de Prince*, où j'étais assistante, je rencontrai Josette Day, actrice de second plan, visage ravissant, seins lourds, taille de guêpe, longue chevelure dorée.

En déjeunant aux studios de Saint-Maurice, elle me donna un véritable cours sur l'art de sélectionner les hommes utiles et de leur extraire un maximum d'argent en même temps que l'appui nécessaire, selon elle, à toute carrière féminine. Elle en parlait avec un grand naturel, animée par le désir manifeste de me rendre service.

« Vous plaisez aux hommes, me dit-elle, n'allez pas faire la bêtise de vous enticher d'un sans-le-sou. Les femmes ont besoin d'argent pour être heureuses... »

J'essayai de dire que, malheureusement, les hommes argentés de mes relations me laissaient froide.

« Ce n'est pas la question, dit-elle. Au contraire. Il

faut être froide. Le problème, c'est de choisir le bon cheval. »

Et elle m'exposa son cas. L'industriel qui l'entretenait, A.T., allait la plaquer pour se marier. Elle avait étudié la situation : « Il y a trois hommes à Paris qui peuvent servir ma carrière, exposa-t-elle. Sacha Guitry, Jouvet et Pagnol. Guitry, ce n'est pas le moment de s'en occuper, il vient d'épouser Séréville. Jouvet, j'ai essayé : imprenable. Il couche mais c'est Ozeray qu'il aime. Il reste Pagnol. Vous le connaissez. Comment est-il? »

Ces conversations m'avaient laissée pétrifiée. Je savais tout de l'amour, puisque j'avais lu Stendhal, Flaubert, Proust, mais cette vision de l'homme utilitaire, comme un camion qui vous transporte le long d'une carrière tout en grossissant votre compte en banque, était neuve à mes yeux.

Il faut que je vous conte la suite, s'agissant de Josette Day. On pourrait la diffuser dans les écoles à l'usage des filles.

Pagnol vivait plus ou moins retranché dans ses terres. On ne le voyait guère à Paris. Pour trouver l'ouverture qui la mènerait à lui, Josette Day embobina d'abord Raimu. Ce fut vite fait bien fait. C'est lui qui servit de *go-between*. On sait ce qui s'ensuivit : une liaison de plusieurs années entre Josette Day et Marcel Pagnol, fou amoureux, deux films écrits pour elle dont *La Fille du puisatier*, Il en parlait de façon émouvante, vraiment, et la cloîtrait. Si l'on en croit ce que rapporte Jean Cocteau dans son *Journal*, la rupture intervint, en 43, parce qu'à la fin, elle réussissait à le tromper. Il en fut très malheureux. Mais le plus beau vient après.

Elle se retrouve seule, dans un petit appartement des Champs-Élysées, plus jolie que jamais. Elle a un magot, pas gros, des relations. Chez l'une d'elles, un homme sombre la regarde, M.S. Il possède l'une des plus grandes fortunes d'Europe. Sa méfiance est donc infinie. De surcroît, il est marié.

Elle va tendre ses filets avec un talent admirable. Bientôt, ils se voient tous les jours. Et un soir, elle dit : « Pourquoi irions-nous au restaurant? Venez plutôt dîner à la maison. » Il vient. Bientôt, il vient tous les soirs. Elle n'a pas de servante; elle lui fait la cuisine avec son petit tablier, elle le sert... Il est dans un état second. Serait-il aimé? Par cette femme divine?

Pour Noël, il lui offre trois boîtes en or de Cartier, ornées chacune de pierreries différentes. Elle s'extasie, c'est trop, vraiment c'est trop. Laisse passer six mois. Un soir qu'il vient la rejoindre, il aperçoit, tandis qu'elle est à la cuisine, un papier coincé sous le pied d'une lampe. Il regarde. C'est une reconnaissance du Mont-de-piété. Il regarde encore. Il s'agit des trois boîtes en or. Bouleversé il demande des explications. Alors elle éclate en sanglots : il n'aurait jamais dû savoir! Elle n'aurait jamais dû laisser traîner ce papier! Elle meurt de honte parce qu'il lui faut bien avouer, oui, qu'elle est pauvre et qu'elle ne peut plus donner ainsi tous les soirs des repas délicats et des bons vins à M.S. C'est pourquoi elle a mis ses trois boîtes au clou.

Le méfiant milliardaire a fondu comme un sucre d'orge. Entretenu! Entretenu, lui, par une femme, et quelle femme! Qui aurait pu lui procurer pareille volupté?

Il a fini par l'épouser.

Comme personne n'est parfait, elle a failli tout gâcher à cause de Roberto Rossellini, ce redoutable séducteur taciturne. Passant à Paris, il l'avait mise distraitement, un soir, dans son lit de l'hôtel Raphaël, et elle ne voulait plus en sortir. « Elle n'est pas raisonnable, disait Roberto, pas raisonnable. Pensez à tout cet argent! » Lui était blasé sur cet effet bizarre qu'il produisait aux femmes. La calvitie le menaçait, le ventre l'avait gagné. Rien n'y faisait. Son charme, qui ensorcelait aussi les hommes pour peu qu'il le voulût, le transfigurait.

Josette Day s'est reprise à temps. C'était quelqu'un.

Je l'ai revue un jour, il y a quelques années, à Eden Roc où elle passait les mois d'été. Veuve. Seule. Alcoolique. Elle se baignait dans la piscine, tout alourdie mais avec un joli visage, encore. Nous nous sommes saluées de loin.

– Qui est-ce? a demandé A. qui m'accompagnait.

– C'est la femme qui m'a enseigné comment il fallait sélectionner les hommes pour attraper le plus riche et le plus utile.

– Eh bien, dit-il, on peut dire que vous avez oublié la leçon!

Oublié non, la preuve... Mais, courtisane ou comédienne, il faut des dispositions pour réussir. Mon seul essai dans l'exploitation rationnelle de mes charmes ne fut pas plus heureux que mes tentatives de comédienne. Il m'a laissé un souvenir cuisant.

Une véritable coalition s'était formée à laquelle, je dois le dire, ma mère n'était pas étrangère, pour me jeter dans les bras d'un « tycoon » : il avait le quasi-monopole du commerce de l'uranium ou quelque chose d'approchant. Nous l'avions connu par une amie de ma mère qui avait décidé de le remarier après un essai malheureux.

Physiquement, il ressemblait à un grand singe. Immense. Comme souvent les hommes d'affaires d'envergure, émanait de lui une force dont on sentait qu'elle pouvait très vite devenir implacable. Mais je ne suis pas sensible à la séduction de la force. Hôtel particulier, chauffeur, bonnes manières, du goût pour envoyer les fleurs, il n'y avait rien à lui reprocher, sinon que, d'une façon inexplicable, il m'ennuyait. Était-ce sa voix, monotone? Le ton doctoral avec lequel il m'entretenait interminablement de ses affaires pour m'éblouir par leur ampleur? L'empressement qu'il mettait à rire du moindre de mes propos alors que je n'ai jamais été drôle? Il m'ennuyait.

Lui était épris et son ardeur croissait avec la résistance sourde que je lui opposais. Il me sortait, c'était agréable, ma vie était austère. Et puis, au théâtre, on ne parle pas; dans un cabaret, la musique tient lieu de conversation. Il me comblait de présents délicats, me racontait l'existence délicieuse qui serait la mienne si j'acceptais de partager sa vie. Il voyageait beaucoup. New York, je n'avais pas envie de prendre le bateau pour New York? Si, bien sûr. Ô combien! Je n'avais jamais voyagé. Le temps n'était pas encore venu où les charters baladeraient des touristes en grappes de Mexico à Singapour pour 2 975 francs. D'ailleurs, comme les salariés n'avaient pas de vacances, on ne voit pas quand ils auraient voyagé. C'était l'affaire des riches.

Ma mère, fondée à penser que ce gentleman incarnait une chance de m'arracher à une vie besogneuse, saisissait mal la nature de mes réticences. Mais elle me laissait libre. Son ambition pour moi n'avait jamais été le « beau mariage », ni le moins beau. J'ai dit que j'étais le garçon de la famille. On ne pense pas au destin d'un garçon en termes de mariage.

Lui, en revanche, me bousculait.

Entre deux films, je finis par accepter d'aller passer quelques jours avec lui à Monte-Carlo. Il y avait là l'un des meilleurs hôtels du monde et toutes sortes d'agréments devenus communs aujourd'hui, qui étaient alors l'expression même du luxe. Il m'acheta une robe du soir chez un grand couturier, quelques colifichets, une bague formée de deux rubis taillés en cœur. Il m'emmena au casino. Je n'étais pas majeure mais, avec lui, on me laissa entrer. Je jouai pour la première fois et, bien sûr, je gagnai. C'était délicieux.

J'ai tenu mon singe à distance pendant trois jours. Le quatrième, il est entré dans ma chambre, décidé à me croquer.

En pyjama, il était comique. Je l'ai repoussé. Il s'est obstiné. Ce fut une scène grotesque.

Le lendemain, au petit matin, je suis partie seule, par le train, sous l'œil goguenard de son chauffeur, en lui laissant seulement la bague aux rubis dans une enveloppe, sans un mot. Il ne m'a jamais pardonné. Des années plus tard, quand mon nom a commencé à être connu, il racontait à qui voulait l'entendre qu'il avait été mon amant. Il s'en serait probablement gardé si la chose avait été vraie. Mais je l'avais humilié.

Il ne faut jamais humilier un homme de la sorte. Ni une femme, d'ailleurs, mais le mécanisme est un peu différent. Si l'on se dérobe, que ce soit courtoisement, avec des ménagements, des adoucissements. Mais je n'avais, à cet égard, reçu aucune éducation. Comment ma pauvre petite mère, que jamais un homme n'approcha hors son mari, aurait-elle pu m'instruire?

Cette expérience m'a humiliée de toutes les manières. Parce que je m'y suis prêtée, ce qui n'était pas bien; parce que je l'ai mal conduite. Quoi qu'on fasse, y compris la putain, il faut le faire bien.

Mais elle m'a renseignée. Grâce au singe, j'ai appris que mon désir, l'exigence informulée qui me tourmentait, n'était pas orienté vers les plaisirs que procure l'argent, même si je souffrais parfois d'en manquer. Je voulais autre chose. Mais quoi?

Savoir ce que l'on veut, ce que l'on veut vraiment avec ses forces inconscientes, c'est tout le problème. Je dirai même : c'est le seul.

Autour de vingt ans, on est encore comme un arbrisseau. Les uns vous arrosent et vous donnent de la lumière, certains cassent vos branches et vous écorchent de leurs canifs. On pousse comme on peut, droit ou de travers, on jaunit ou on devient vigoureux, on dépend terriblement des autres.

Je suis aujourd'hui un vieil arbre où chantent les oiseaux du souvenir, et je préfère penser à ceux qui m'ont donné de la force. Les autres... Que le diable les emporte si ce n'est déjà fait!

Parmi les premiers se trouve un homme de radio qui a été bien connu du public en son temps, André Gillois. Tout petit, de beaux yeux, un vrai talent dans sa spécialité.

J'avais vingt et un, vingt-deux ans peut-être, lorsqu'il me demanda de participer à une émission sur l'antenne du Poste Parisien. Quatre ou cinq personnes devaient répondre à des questions, il me semble... Peut-être même y avait-il déjà Emmanuel Berl, qui fit beaucoup de radio avec Gillois. Je ne sais plus. Avant que nous n'attaquions la première émission, Gillois me dit : « Il faudrait modifier votre nom pour la radio. On le comprend mal. »

Modifier mon nom? Idée saugrenue. Il me convenait. Ce qui me dérangeait, en revanche, c'était mon surnom, le sobriquet dont j'avais été affublée par un cousin haïssable et qui me collait, depuis, à la peau. Indéracinable. Même ma mère, même Douce l'employaient, et ce « Bouchon », qui me poursuivait jusque sur les génériques de films, laid dans l'enfance, devenait hideux à l'âge adulte.

– Changez-le, me dit Gillois. Votre nom, il suffit de lui enlever une lettre. Gourdi, c'est très bien.

– Ah non! On m'appelait déjà la gourde en pension, non!

– Alors, essayons l'anagramme... Attendez... Giroud... Ça vous va?

– Bouchon Giroud, ça aura l'air de quoi?

– On oublie Bouchon. Fini, effacé. Quel est votre vrai prénom?

– France.

– France Giroud... Heu... Il faudrait plutôt deux syllabes... Disons Françoise. Françoise Giroud, c'est parfait. Ça vous ira bien.

Ma mère approuva. D'Aguiar, en qui j'avais confiance, approuva. Sa femme me dit que ce nom me porterait bonheur et qu'elle était heureuse de me voir délivrée de « Bouchon ». En vérité, ce fut le plus dur. Un vrai bras de fer avec tous ceux auxquels je refusais de répondre quand ils ne m'appelaient pas Françoise, mais victorieux, pour finir.

C'est un acte troublant de changer de nom. Toutes les femmes qui ont pris celui de leur mari connaissent le sentiment que donne une nouvelle identité. On se met à lui ressembler. Pour moi, ce changement eut un caractère fondateur. Quelqu'un avait été créé, ex nihilo, qui ne procédait que de moi-même, quelqu'un qu'il m'appartenait maintenant de construire.

« Il faut avoir de l'ambition, m'avait encore dit Gillois. Vous êtes douée. »

Encore! Mais douée pour quoi? Et l'ambition de quoi?

D'une façon confuse, j'imaginais un avenir où je deviendrais scénariste, puis scénariste-dialoguiste, bien payée, oui, probablement, et alors? À supposer que j'y parvienne, il me semblait que je le sentirais comme une réussite technique, en quelque sorte, puisqu'aucune femme n'avait encore fait ce parcours, pas comme un accomplissement.

Mais tout cela était vague. Je le dis de façon trop précise. On ne pense jamais ces choses-là si clairement. Elles rôdent dans la tête, elles colorent les jours, c'est tout.

« Tu es comme ton père, il te faut un combat », me dit un jour ma mère qui me voyait maussade.

Sans doute avais-je en effet besoin d'imiter mon père. Le combat pour le pain quotidien, sans beurre certes, je l'avais gagné. Mais le beurre n'était pas pour me mobiliser. Il fallait trouver autre chose...

La guerre mit un terme à ces divagations. Rien de moins propice aux interrogations sur sa précieuse personne. Et puis, en fait de combats, nous allions être servis.

L'exode, ce grand déferlement d'hommes, de femmes et d'enfants fuyant l'armée allemande, en quête d'un havre ou d'un visa pour fuir plus loin, l'exode m'avait déposée comme une alluvion à Clermont-Ferrand où habitait Douce. Ma mère s'y trouvait déjà.

Saisissement devant la débâcle, honte, angoisse, chagrin vécus comme sur une île, toutes communications coupées, téléphone muet, poste suspendue, chaleur tombant d'un ciel glorieux sur des gens sans toit, mijotant depuis huit jours dans leur voiture, tout cela a été raconté vingt fois. Ce fut pire.

En juin 40, au milieu d'une foule composite où se trouvent quantité de réfugiés d'Alsace qui ont tout perdu, l'establishment parisien est à Clermont, du moins celui qui n'est pas descendu à Bordeaux dans les fourgons du gouvernement. Au bout de quelques semaines, la situation se décante. Comme une bête blessée, la France s'est couchée aux pieds de Pétain qui chevrote, à Vichy. Paris est occupé par les Allemands avec toute la zone nord. Il y a trois millions de prisonniers, chiffre hallucinant. Il faut survivre.

Certains ont abandonné, à Paris, des entreprises. Ils rentrent pour la plupart. Un tout petit nombre, résolus à poursuivre le combat, se démènent pour gagner Londres d'où un général a lancé un appel... D'autres décident de ne rentrer à aucun prix en zone allemande, et cherchent où s'insérer. On verra, au fil des mois, des reconversions inattendues, en particulier dans l'agriculture chez ceux qui possèdent un bout de terre. Ainsi Christian Dior – qui n'est pas encore Dior – va se mettre à cultiver les petits pois et à les vendre sur le marché de Cannes. Un autre se lancera dans la fabrication des boucles d'oreilles. Il faut s'adapter. L'Université de Strasbourg restera à Clermont. La France disloquée se recompose lentement, tout autrement, dans la douleur et l'humiliation, avec cette balafre qui la coupe en deux : la ligne de démarcation entre les deux zones. Pour la franchir, il faut un laissez-passer.

Je n'ai pas d'argent, pas de travail, mon métier n'existe plus, que faire? J'ignore que mon destin est au coin de la rue, celle où habite Douce et où se trouvent les locaux de *La Montagne*, quotidien régional qui héberge provisoirement l'équipe de *Paris-Soir* acharnée à sortir un journal. Je connais l'un de ceux qui travaillent là, Charles Gombault; c'est un ami de Louis Jouvet. Nous tombons nez à nez. Il m'annonce qu'il part pour Londres et, avant de disparaître, me présente à l'un, à l'autre.

Dans la tragédie où nous sommes, on se lie vite. Tous ceux qui sont là se débattent avec des problèmes matériels aigus. Parce que la ville m'est familière, je peux leur rendre de menus services. Douce leur ouvre sa porte. Ils retrouvent un lieu accueillant dans cet enfer.

Et puis ils disparaissent : *Paris-Soir* est transféré à Lyon. *Le Figaro* s'y installera également.

J'ai plus de chances de trouver du travail à Lyon qu'à Clermont, j'y vais donc.

Avait pris là ses quartiers une société parisienne hétéroclite où le gratin côtoyait le commun dans la même cantine, où un ambassadeur mélancolique pleurait dans le giron d'un baron de Rothschild et réciproquement, où tout ce monde, qui gravitait autour de *Paris-Soir* – et ailleurs autour du *Figaro* –, vivait dans la promiscuité, l'intimité, le mal-être des réfugiés.

La Résistance n'était encore qu'un état d'esprit. Parmi les collaborateurs du journal se trouvaient un certain Robert François, fasciné par Pierre Laval, qui deviendra plus tard Roger Vailland, Jean Prévost, qui sera tué dans le Vercors, et quelques autres personnages auxquels le régime de Vichy ne déplaisait pas vraiment. Mais, à l'automne 40, les gens étaient surtout assommés.

J'arrive à *Paris-Soir*, je me faufile jusqu'au bureau d'Hervé Mille, que j'ai rencontré à Clermont. Il est devenu directeur du journal. À Paris, il y aurait eu trois huissiers, je n'aurais jamais atteint sa porte, il ne m'aurait jamais reçue. Mais, à Lyon, dans ce genre de hangar où nous sommes et l'effondrement général où se trouvent toutes choses, les hiérarchies sont bousculées.

J'avais remarqué Hervé Mille à Clermont parce qu'il avait, dans un visage brun, des yeux d'un bleu rare. Je ne suis pas sûre que la réciproque ait été vraie, mais peu importe, il se souvenait de moi.

Il était – il est encore – un homme raffiné, cultivé, qui aimait les duchesses, et dont les apparences frivoles dissimulaient un caractère d'une extrême rigueur. Principal collaborateur de Jean Prouvost, on le trouve à l'origine d'un nombre impressionnant de journaux, dont *Match*, par exemple.

J'avais un prétexte pour venir le voir : deux contes, écrits à tout hasard. Les quotidiens publiaient des contes tous les jours, à l'époque. Il jeta un coup d'œil sur ce que je lui apportais, mit un conte de côté et me fit parler.

Quand il découvrit que je connaissais ce qu'on appelait « la vie parisienne », c'est-à-dire, pour l'essentiel, le monde du spectacle et ses activités, il me dit : « Vous pourrez peut-être faire des papiers là-dessus... On va voir. Revenez demain. Je garde ce conte. »

Le lendemain, il se passa cette chose incroyable. Il me fit asseoir en face de lui – il travaillait sur une planche posée, sur des tréteaux – et me dit : « Vous resterez là... Il n'y a pas de bureau. Tenez, il me faut trois feuillets sur... » J'ai oublié quoi. Je me souviens seulement qu'il m'a arraché chaque feuillet à peine terminé, sans me laisser le relire.

Il n'a pas fait de commentaire. Comme il ne me disait pas de partir, je suis restée là, fascinée par ce qui se passait dans cette cage de bois.

Il n'y a pas eu de travail pour moi tous les jours. Petite mouche du coche, je m'ingéniais à suggérer des sujets, à inventer des contes – le mien avait été publié avec félicitations du directeur des ventes – , à extraire de la presse américaine matière à vingt lignes piquantes, bref, à faire des piges. La spécialiste de l'encadré américain était une femme bien connue depuis, Marcelle Segal, à l'inoubliable générosité. Quand elle me voyait en peine, elle trouvait toujours quelque chose à me signaler. Pourtant, c'était son propre gagne-pain. Merveilleuse Segal!

Assise devant Hervé Mille et la jeune femme journaliste qui le secondait, George Sinclair, j'ai passé six mois à gratter du papier. Il corrigeait. Surtout, je le voyais travailler, choisir des sujets, remanier des articles, titrer, bref, faire un journal. Extraordinaire privilège dont je n'avais aucune conscience.

Je quitterai Lyon le cœur plein de gratitude pour Hervé Mille, pour la gentillesse qu'il m'a témoignée, sans me douter que je viens d'assimiler les bases du journalisme avec le meilleur professeur qui se puisse imaginer.

Avant de partir, je vois passer par Lyon Colette, essayant de mettre à l'abri son mari Maurice Goudeket. Elle est en voiture, elle n'a plus d'essence. Parce que c'est elle, un de mes amis se laisse extorquer un bon de vingt litres, qu'il ne cessera de me reprocher pendant cinq ans!

Passe aussi Louis Jouvet avec sa troupe. Je le vois un long moment, accablé. Tout ce monde part en tournée en Amérique du Sud. En réalité, Jouvet a trouvé cet expédient pour se soustraire et soustraire ses comédiens à l'humiliation d'avoir à jouer devant les Allemands. Il restera en Amérique du Sud jusqu'à la fin de la guerre. Pendant ce temps, Sartre, moins sourcilleux, fait jouer *Les Mouches* au théâtre Sarah-Bernhardt débaptisé, avec l'imprimatur des Allemands.

Passe enfin Saint-Exupéry qui n'a qu'une pensée : faire la guerre. Mais il n'est pas au clair avec de Gaulle. Nous sommes une heure ensemble, dans un bar. Il joue avec les cartes qui ne le quittent pas et me dit : « Le tour de la Grande Ourse, ça vous ferait plaisir que je vous montre le truc? » Je dis : « Oui, bien sûr... Enfin! Mais je ne veux pas... Vous me le montrerez quand la France sera libre, quand la guerre aura été gagnée... Vous voulez? » Et nous avons ensemble, en même temps, les larmes aux yeux.

La guerre gagnée! Pour le moment, nous sommes dans la merde avec un couvercle sur la tête, voilà où nous sommes. Horrible période.

Donc, j'ai quitté Lyon. L'activité cinématographique reprenait à Paris. Mon métier était là. D'Aguiar m'appelait. Je suis rentrée. En faisant un détour, cependant, que je ne puis escamoter, car, d'une certaine façon, j'y suis morte à moi-même.

Quand j'ai dit au revoir merci beaucoup à Hervé Mille, les apparences étaient encore sauves, mais ce n'était plus qu'une question de semaines : j'attendais un enfant d'un homme dont j'avais été séparée d'un coup par la débâcle. J'avais tout essayé pour m'en débarrasser, avec l'aide de Douce. Mais nous n'y connaissions rien, et les faiseuses d'anges ne couraient pas les rues de Clermont-Ferrand. Terrorisées par la résurrection de l'« ordre moral », elles se terraient.

J'étais donc durement ramenée à ma condition de fille. Jusque-là, j'avais été un animal sauvage, libre, fier, indépendant, aucun homme ne m'avait jamais fait pleurer. C'était fini. Finie la liberté, finie la jeunesse, la vraie, celle qui n'a pas de responsabilités, finie la fille/garçon. Je traînais mon corps alourdi.

J'avais souvent jugé les femmes babilleuses et larmoyantes, agitées de préoccupations mesquines. J'étais en train de rejoindre la confrérie, absorbée dans des problèmes, inextricables à l'époque, de lait et de layette.

Je m'étais prise en horreur.

Me plaindre, exprimer ma déroute, la confusion de sentiments où j'étais, m'aurait peut-être aidée. Mais je n'ai jamais su m'apitoyer sur moi-même. J'encaisse, comme on dit, et je me tais. Quelquefois, à l'intérieur, cela produit des craquements.

Ce petit garçon non désiré m'a déconstruite. Je me détestais de ne pas l'aimer. Plus tard, je l'ai trop aimé. Je ne l'ai jamais bien aimé. Nous n'avons jamais été heureux ensemble. En fait, du jour où il est né, rachitique parce que j'étais sous-alimentée, j'ai marché avec une pierre autour du cou.

Au fond de moi, je l'avais d'abord rejeté : alors il n'a cessé, évidemment, d'être un enfant difficile, un adolescent pire encore. Ce n'était pas sa faute. Il ne faut pas avoir une mère qui a pleuré votre naissance.

J'ai eu un autre enfant, je sais la différence. Lui se déchirait à tous les clous de la vie. Il était brillant cependant, si intelligent... Et quand, après avoir terminé ses études de médecine, il a été près d'avoir enfin réglé ses comptes avec moi, il s'est tué en skiant hors piste à Val-d'Isère. Un soir, il n'est pas rentré. On l'a cherché pendant trois jours, puis les recherches ont cessé. J'ai attendu deux mois. Deux mois. Et puis son linceul de neige a fondu.

En 41, il ne s'agissait pas de pleurer, mais de survivre. Mon bébé confié à ma mère, j'ai plongé dans le travail jusqu'aux yeux.

Fin 45, j'étais une scénariste confirmée, lorsqu'une femme inconnue de moi me pria à déjeuner. C'était Hélène Lazareff. Elle rentrait, avec Pierre, son mari, des États-Unis où ils avaient passé la guerre. L'un et l'autre se préparaient à créer de nouveaux journaux. Consulté, leur ami Hervé Mille leur avait donné trois noms en disant : « Vous ne les connaissez pas, ils n'existaient pas quand vous êtes partis, il faut que vous les engagiez[1]. » Et Hélène avait décroché son téléphone.

La presse française avait été laminée par la collaboration où elle s'était vautrée. Surgissaient ici et là des journaux issus de la Résistance. Tout était à faire. *To make a long story short*, c'est ainsi que j'ai mis le doigt dans l'engrenage du journalisme avant d'y passer tout entière. J'allais avoir trente ans et j'avais trouvé ce pour quoi j'étais faite, toutes névroses comprises. Plus qu'un nouveau métier, c'était une naissance dont Hervé Mille avait été de bout en bout le Pygmalion.

1. Les autres noms étaient ceux de Raymond Cartier et de Max Corre.

À des titres divers, j'ai dû collaborer à plus de soixante films, en écrire plus de vingt, dont quelques-uns que j'aime bien. Le seul véritable plaisir que j'en ai tiré, c'est celui de faire rire. Une salle qui rit de vos répliques, c'est voluptueux. Mais je n'ai pas beaucoup d'imagination, j'observe mieux que je n'invente, c'est un défaut pour un scénariste. Surtout, le véritable auteur d'un film, c'est le réalisateur.

Je travaillais déjà régulièrement pour *Elle* lorsque j'ai écrit *Antoine et Antoinette* avec Jacques Becker et Maurice Griffe, un film d'un esprit et d'un style originaux pour l'époque. Becker avait un grand talent, très personnel. En juin 47, nous étions tous les deux à Cannes, pour le Festival renaissant. Le film devait y être présenté. Nous n'étions pas parmi les favoris. Soudain, il y a eu ce miracle : une salle qui « prend » comme une mayonnaise, des rires, des applaudissements, un triomphe. Et, au bout, le Grand Prix. Il n'y en avait qu'un, à l'époque.

Le festival n'avait pas encore l'allure de foire qu'il a prise. Il y avait simplement du monde. Après la projection, quelqu'un m'a proposé d'aller boire du champagne pour fêter notre succès. À la terrasse du Carlton, face au ciel bleu de nuit, tendre et profond, j'ai pensé : « Ce n'est pas mon succès. C'est celui de Becker. J'y ai contribué, mais il aurait fait ce film sans moi. Je ne l'aurais pas fait sans lui. »

Ce soir-là, j'ai touché les limites du métier d'auteur de films. Nous nous aimions beaucoup, avec Jacques Becker. Il me confiait sa voiture, c'est dire! Mais si bien que l'on s'entende avec un metteur en scène, ce qu'il y a sur l'écran n'est jamais ce que l'on avait en tête en écrivant. Il y a décalage, glissement. C'est frustrant.

Si j'avais persévéré dans le cinéma, sans doute aurais-je fini par mettre en scène moi-même. Mais était-ce dans mes cordes? Pas sûr. Pas sûr du tout. J'aurais su fabriquer. Mais les « grands » sont des artistes. Je ne suis pas une artiste.

La prison est un lieu plein d'enseignements. On ne saurait trop recommander que chacun y fasse un stage. Inutile qu'il soit excessivement prolongé : ce sont les débuts qui suffoquent. Ensuite, on est comme anesthésié.

J'ai été arrêtée en mars 44 par la Gestapo qui cherchait Pierre Dejussieu, chef de l'Armée Secrète. Il se servait souvent de mon appartement. Quelquefois, il apportait du sucre à ma mère pour qu'elle en fasse un fondant, dont il raffolait. C'était un militaire de carrière, général sorti du rang, je crois, bouillant, courageux et imprudent comme nous l'étions tous.

Quand je lis ce qui s'écrit aujourd'hui sur la Résistance, et singulièrement le livre de Daniel Cordier[1], je découvre une organisation, des structures, des antagonismes dont je n'ai eu que des échos. Je ne faisais pas partie des huiles, il est vrai, j'étais un petit pion quelconque utilisé comme agent de liaison dans un jeu de l'oie meurtrier. Mais, quelquefois, je me dis que, lorsque ma génération aura disparu, ce qui est en bonne voie, il ne restera personne pour dire : « La Résistance ? Mais ce n'était pas comme ça ! » Et elle

1. *Jean Moulin, L'inconnu du Panthéon*, Daniel Cordier, Lattès, 1989.

entrera, figée à jamais dans le marbre de la légende, avec ses grands chefs et ses suppliciés.

Qu'est-ce que c'était? D'abord un refus. Ensuite une adhésion individuelle à de Gaulle. Certains ont contesté le chef de la France libre; la piétaille, jamais. C'était une tension. Il n'y avait, cela va de soi, ni bureau, ni lieu de rencontre, les contacts étaient furtifs. On se retrouvait sur un banc, sous une horloge, il ne fallait jamais attendre qui n'était pas à l'heure, il pouvait avoir été pris. Chacun était désigné par un pseudonyme qui changeait à chaque alerte. Tout le monde ou presque avait une couverture professionnelle, et plus qu'une couverture : un homme oisif était suspect. Et puis, il fallait vivre... Dans le groupe auquel j'étais intégrée, les permanents payés par Londres étaient rarissimes et conduits à cette situation seulement par l'obligation de la clandestinité. Les faux papiers pullulaient, les bons et les mauvais. Les bons indiquaient comme lieu de naissance une ville où les registres d'état civil avaient été détruits. Les amitiés étaient fortes, soudées par l'objectif commun et l'indéfinissable parfum de mystère qui a trahi beaucoup de résistants. Ceux-là avaient une façon de se vouloir « dégagés » qui ne pouvait tromper personne. Ils cachaient quelque chose.

Ceux qui ont participé à l'action clandestine n'étaient pas des espions, des professionnels de la dissimulation, mais des gens quelconques, n'importe qui, une poignée noyée dans la masse occupée, elle, à se procurer, dans quelque arrière-boutique, du beurre, du sucre ou du jambon.

Ce n'était pas non plus des héros. Ou, s'ils le furent, ce fut le plus souvent sans le savoir, à trois ou quatre remarquables exceptions près. La nature des périls encourus par ceux qui étaient capturés par les Allemands était mal connue. Et comment croire qu'à accepter de servir, par exemple, de boîte aux lettres, on risquait la mort? Personne n'était jamais sorti d'un camp de concentration pour dire : « Voilà ce qu'ils font des déportés! » Personne n'avait réchappé du supplice de la baignoire pour dire : « Voilà comment ça se passe... » On soupçonnait, on redoutait, on ne savait pas, ce qui s'appelle savoir. On ne voulait pas savoir.

Le risque connu, évident, celui qui pesait sur tous, c'était l'arrestation et quelque traitement spécial infligé par la Gestapo à ceux qui détenaient des informations. Cela aurait dû suffire à nous rendre infiniment précautionneux. C'est peu de dire que les résistants ne l'étaient pas.

Douce, agent actif de la région R6, dès 1941, avait été prise à Clermont en novembre 43, lors de la grande vague d'arrestations qui fit des ravages dans les rangs de la Résistance. La veille, la Milice avait fait sauter sa maison.

Je l'attendais à Paris, j'étais allée la chercher à la gare. C'est ma mère que j'ai vu arriver, livide.

Pour tenter de faire libérer Douce, j'avais entrepris les démarches les plus folles, les plus périlleuses, dans ce milieu louche où s'agitaient les Français qui monnayaient leurs bonnes relations avec la Gestapo. Dejussieu m'avait ouvert un large crédit, il tenait à Douce. J'avais couru d'un bistrot marché-noir de l'avenue Niel où ces messieurs faisaient bombance, à l'appartement d'un ferrailleur protégé par des hommes en armes, recevant derrière un mur de boîtes de lait concentré. J'aurais baisé le cul du diable.

Je sentais que j'aurais dû partir, me cacher, que la situation devenait dangereuse après toutes les arrestations qui avaient accablé notre groupe. Mais ce ferrailleur ne cessait de me faire espérer la libération de Douce.

Au lieu de quoi, c'est moi qui me suis retrouvée rue des Saussaies, où siégeait la Gestapo.

Tout de suite, un instructeur me demande : « Où

est Bourguignon? » C'est le dernier ou l'avant-dernier pseudonyme de Pierre Dejussieu, qui s'est appelé aussi Pontcarral. Je réponds que je ne connais pas de Bourguignon. Même chez les Allemands, il y a du laisser-aller. Sur l'instant, l'instructeur n'insiste pas, se réservant vraisemblablement pour un interrogatoire plus musclé.

Cet interrogatoire, je l'ai redouté pendant des jours. Je ne savais pas où se trouvait alors Dejussieu; l'épreuve n'en aurait été que pire. Mais le chef de l'Armée Secrète fut arrêté peu après moi. Dès lors qu'il était entre leurs mains – où il fut traité avec une cruauté inouïe – , je n'offrais plus aux yeux des Allemands qu'un intérêt négligeable. Mais cela, je ne le saurai que beaucoup plus tard. Et j'ai connu la peur.

La cellule où l'on m'enferme, à la prison de Fresnes, est occupée. Trois jeunes femmes assises sur une paillasse me regardent entrer, perchée sur des semelles de bois, mon manteau souillé parce que j'ai passé la nuit couchée par terre dans un cachot. Tout de suite, elles seront amicales.

Il va de soi que l'expérience de la prison vécue de la sorte n'est pas assimilable à celle de la prison tout court. Mais il y a des points communs. La promiscuité, l'enfermement, les relations avec les gardiennes, une sorte de frilosité, aussi, qui vous gagne. Quand on vous change de cellule, c'est un drame. On avait un clou où suspendre un vêtement; on avait un coin où l'on appuyait la tête; on se sent soudain comme exposé à un grand vent, alors qu'on est faible – comme un oiseau.

Ce qui m'a frappée en entrant, bizarrement, c'est la propreté. Le parquet brillait. J'ai appris plus tard à quel prix : tous les jours, nous devions le frotter avec le dos d'une cuiller. Au demeurant, c'était une façon de prendre de l'exercice, ce dont nous manquions cruellement.

Les premiers jours, la prison rend très malheureux. Il arrive que l'on se suicide. Attaché encore par cent liens à l'extérieur, on se mange les sangs, comme on dit, on est déchiré entre les deux univers, dedans et dehors. Et puis, progressivement, on se déconnecte, on se rabougrit. Immobiles tout le jour, arrêtées au sens propre du terme, arrêtées au bord de la vie, totalement oisives, sans lecture, sans ouvrage, réduites à nos ressources intérieures, nous aurions dû devenir des légumes. Mais il y avait un orgueil des résistants qui les tenait droits. Et, tous les matins, la peur d'être appelées pour interrogatoire.

L'une de mes codétenues était une innocente, un jeune professeur d'espagnol qui avait tiré la langue à un officier allemand dans le métro. Elle fut rapidement libérée. L'autre appartenait au réseau Notre-Dame. Elle avait hébergé des parachutistes anglais. Elle tenait un magasin de lingerie. On ne l'a jamais interrogée. Tous les soirs après le couvre-feu, une fois criés nos « Vive de Gaulle » que toute la prison lançait en même temps, elle exigeait que nous récitions *Je vous salue Marie.*

La troisième, Marie-Jeanne, avait été prise avec un poste-émetteur. C'était une merveilleuse créature, chaleureuse, intense, gaie. Ses parents tenaient un dépôt Nicolas. Elle espérait en tenir un aussi, après la guerre, une fois mariée. En attendant, elle avait pris des risques immenses. Son chef direct, incarcéré lui aussi à Fresnes, subissait des interrogatoires répétés dont il revenait, le soir, hurlant de douleur. Était-ce bien lui qui criait? Elle en était sûre, elle reconnaissait sa voix. Et même si c'était un autre... Ces cris, je les ai encore dans les oreilles.

À vivre ainsi confiné, fenêtre toujours close, les pieds deviennent tendres, la peau vire au gris, les cheveux et les ongles s'allongent, les dents s'entartrent, le linge prend une teinte isabelle. On apprend à économiser ses gestes, à respecter scrupuleusement l'espace de l'autre, à se délivrer en public de ses excréments, à être très poli, parce que le moindre frottement devient blessure. L'un des membres de la communauté prend ascendant sur les autres, s'auto-désigne pour parler aux gardiennes.

Je ne sais pas ce que contenaient nos paillasses, mais nous étions couvertes d'écorchures, irritées parce que, pour nous laver, on nous donnait du sable. Les gardiennes étaient des gardiennes, hargneuses, méchantes, jetant à la tête des détenues des gamelles emplies d'une nourriture infâme. Comme tous les prisonniers, nous communiquions avec les autres cellules par la tuyauterie. C'est ainsi que s'est répandue la nouvelle... La nouvelle du débarquement allié en Normandie!

Parce que je crois à la supériorité des forces morales, je n'ai jamais pensé, même aux heures les plus noires, que l'Allemagne hitlérienne gagnerait la guerre. « L'espoir voit un défaut dans la cuirasse des choses. » Ce défaut, c'était l'ignominie intrinsèque du national-socialisme. Mais que le temps était long...

Le désœuvrement total dans la claustration induit à la réflexion sur les questions que la mort pose à la signification du monde. Rien de tel si l'on veut tenter de savoir où on en est avec la peur, avec Dieu, avec soi-même. Non que la méditation y suffise, ce serait trop facile, mais elle aide. Rien de tel pour découvrir un sens à la vie si on doit le découvrir. Aussi est-il fréquent que des claustrés trouvent le chemin de la foi.

Dans le gris de nos jours, un événement vint nous secouer. L'aumônier allemand de la prison avait décidé de dire la messe, dans une cellule, pour une poignée de détenues. On était venu nous chercher, à l'aube, tremblantes. Procédait-il par fournées? Nous ne l'avons jamais su. Nous nous sommes retrouvées, une dizaine, agglutinées devant un autel de circonstance. Une messe comme ça, je n'en ai jamais vu : tant d'émotion, tant de ferveur...

Plus tard, je me suis souvent interrogée sur ce que j'avais éprouvé ce matin-là, sur la part qu'il fallait faire à la faim, au froid, au saisissement d'être arrachées à nos cellules, dans l'état de semi-extase où s'étaient trouvées mes compagnes. Je ne l'ai pas vraiment partagé.

Un jour, ma mère a réussi à me faire parvenir un colis. Nous nous sommes empiffrées. La gardienne enrageait. Ce colis contenait une jupe dont je ne m'expliquais pas la présence. Puis j'ai compris et j'ai défait l'ourlet. S'y trouvait un petit mot. Elle avait remué le ciel, la terre et un avocat pour finir par apprendre que j'allais être déportée. Tout de suite, j'ai pensé : « Je vais retrouver Douce », – ce qui montre l'ignorance où nous étions des réalités de la déportation.

Pourquoi n'ai-je pas été embarquée, comme Marie-Jeanne, dans l'un des derniers convois, ceux qui sont partis quelques jours avant la Libération? Un bureaucrate allemand doit le savoir. Un nom, un numéro ont été rayés quelque part.

Le pire m'a donc été épargné, alors que la guerre allait durer encore neuf mois.

Pour en finir avec la prison, j'y ai perdu bon nombre de kilos qui n'étaient pas superflus, mais ceci, qui ne compte guère, mis à part, elle m'a plutôt consolidée qu'affectée. Mes points de repère sont restés inchangés. Quand je vois ces reportages sur des prisons modernes, avec sanitaires étincelants et lits bien bordés, je me dis que, assurément, il vaut mieux que les prisons soient aussi confortables que possible et non surpeuplées, mais que le fond du problème n'est pas là. Physiquement, on s'adapte à tout, et très vite. Ce qui est inhumain, au sens propre du terme, c'est l'enfermement. Inhumain.

Je ne dis pas que je connais la solution.

Il y a dix fois moins de femmes que d'hommes en prison. Peut-être parce que leurs glandes ne produisent pas de testostérone, on dit qu'elles supportent mieux la captivité. Le fait est qu'on ne les voit jamais sur les toits.

Quand Douce est rentrée, en mai 45, son mari, devenu milicien après qu'ils se furent séparés, avait été exécuté par les maquisards d'Auvergne.

Elle pesait quarante kilos. Les officiers français qui étaient arrivés les premiers dans son camp l'avaient ramenée avec quelques camarades. Elle est entrée chez moi, dans sa robe rayée; elle m'a tendu un cendrier de cristal qu'elle tenait à la main et m'a dit : « Tiens, je t'ai rapporté ça de Tchécoslovaquie. » Quand on voyage, on ne rentre pas les mains vides, n'est-ce pas?

Elle m'a parlé, une nuit entière, de Ravensbrück, de Flossenburg, de tout. Ensuite, elle n'en a plus dit un mot, jamais. Mais nous étions si proches que j'avais le sentiment de l'entendre rêver.

Quand elle eut récupéré ses deux filles, ma mère, enfin, respira. Nous n'avions rien fait qu'elle n'ait su et approuvé, mais l'épreuve, pour elle, avait été rude. Elle était, je l'ai dit, d'origine séfarade, c'est-à-dire juive d'Espagne. Les séfarades qui se sont dispersés au moment de l'Inquisition sont devenus totalement areligieux, comme le raconte Edgar Morin dans le beau livre qu'il a consacré à son père[1]. Mais, à la suite d'un vœu dont je n'ai jamais su l'objet, ma mère s'était secrètement convertie, autour de trente ans, au catholicisme. Douce et moi avions été baptisées et catéchisées. Aux termes de la loi allemande, cela ne nous protégeait nullement des persécutions qui frappaient les Juifs.

Ma mère ne voulut jamais entendre parler de ce détail, si j'ose ici employer ce mot.

Ainsi a-t-elle fabriqué une fille croyante, qui est morte quelques années plus tard dans la foi chrétienne. Et une autre, mécréante, qui grillera aux feux de l'enfer. Puissent les miens disperser ma poussière sur leur terre, où j'engraisserai les pâturages et les rosiers. Quoi de plus satisfaisant pour de la poussière de femme?

1. *Vidal et les siens*, Edgar Morin, Seuil, 1989.

Lacan, Jacques Lacan.

Je lui dois ce que j'ai acquis de plus précieux, la liberté, cet espace de liberté intérieure qu'aménage, à son terme, une psychanalyse bien conduite.

Serais-je tombée entre les mains de Lacan à vingt-cinq ans, le cours de ma vie en eût été probablement bouleversé. J'aurais su me regarder vivre et rire doucement de moi, j'aurais été plus amicale à mon égard au lieu de me cravacher sans cesse, j'aurais aimé d'autres hommes, je n'aurais pas créé *L'Express*...

Je ne regrette rien, comme chante Édith Piaf, rien de rien, mais quand j'ai demandé secours à Lacan, je coulais sous le poids des mots refoulés, des cris avalés, des conduites obligées, de la face à sauver, toujours cette sacrée face. À quarante ans, un peu plus, je n'étais plus apte à vivre.

J'avais raté un suicide, bien organisé cependant, à cause d'une cloison fragile. Sous des coups violents, elle avait cédé. Je dormais derrière, dans le coma, bien tranquille. Les gens n'aiment pas ça. Ils m'ont manipulée pendant huit jours pour me ressusciter, furieuse. On peut choisir de se suicider pour se retirer de la vie – c'était mon cas – ou pour s'incruster dans celle des autres. En toute hypothèse, on se dérobe à une douleur insoutenable. Et pourtant... « Je ne me suis pas suicidé hier parce que j'ai eu peur de me faire mal », écrit Stendhal dans son *Journal*. Moi aussi, j'avais eu peur de me faire mal en me servant d'une arme. Et les cachets, ce n'est pas au point : trop long.

Les analystes se gardent des suicidaires. Un mort dans la clientèle fait toujours mauvais effet. Lacan les acceptait. Et puis il avait de l'amitié pour moi.

Cette année-là, l'été flamboyait, le ciel glorieux insultait à ma misère dans le Midi où je m'étais réfugiée. La mélancolie s'accommode mieux des brumes. Des amis m'avaient prêté leur maison que j'habitais seule. Pendant ces nuits bleues d'août que zèbrent les étoiles filantes, bourrée de somnifères inopérants, je me tournais et me retournais nue sur un drap froissé, en suppliant : mon Dieu, faites que je dorme et que je ne me réveille jamais! Il ne faut jamais compter sur Dieu. Aussi bien, je n'y comptais pas, mais quand on arrive au bout de la détresse, quelque chose de mécanique se déclenche et on dit mon Dieu.

Lacan se trouvait dans la région. Il est venu me chercher, un soir, sous prétexte de m'emmener à Aix entendre un *Don Juan*. Mais Mozart lui-même m'était indifférent. Je voulais dormir pour l'éternité, point à la ligne.

Je ne sais pas ce qu'il m'a dit au juste, le long de notre course. Peu de chose, certainement; il parlait peu, mais ce qu'il fallait pour qu'à la fin de la soirée, apprenant qu'il rentrait à Paris, je lui demande de me prendre en analyse.

Il n'est pas d'usage qu'un analyste traite quelqu'un de proche, mais il se moquait des usages. Je fus bientôt parmi ses patients. Il me donna son numéro de téléphone à la campagne pour que je puisse l'appeler à tout moment.

Qu'est-ce donc qui me mettait à vif comme une grande brûlée? Une rupture, rien que de banal. Mais les ruptures, jusque-là, avaient toujours été de mon fait. Celle-là réactivait la blessure reçue au fond de l'enfance et occultée : je n'étais pas un garçon, donc j'étais insuffisante. Et de quoi souffre-t-on quand un homme vous préfère une autre femme – ou inversement? On souffre d'être devenu insuffisant. In-suf-fi-sant.

Cela fait toute la différence avec le chagrin éprouvé à la perte d'un être aimé, chagrin qui vous ennoblit, au contraire. La rupture dévalorise. Elle atteint cette représentation de soi qui est notre compagne de chaque minute, la seule image dont nous soyons sûrs. Allez savoir ce que les autres pensent de vous, comment ils vous voient, et d'ailleurs quelle importance!... Mais la représentation que l'on se fait de soi, il faut vivre avec. Alors, il est nécessaire de l'aimer un peu, de la trouver acceptable, sinon on suffoque.

Menée depuis l'enfance pour surmonter mon insuffisance initiale, ma course s'achevait dans le décor.

À la clinique, j'avais réussi à subtiliser un couteau sur le plateau que l'on m'apportait pour dîner. Je le cachai sous le matelas. L'infirmière de nuit vint s'assurer que tout était en ordre, éteignit et disparut.

Alors, je sortis mon couteau. Avec sa lame épaisse dont je sentais le fil sur mon doigt, ce n'était pas l'arme idéale pour se trancher les veines. Mais à force de scier mon poignet, j'avais fini par entamer la chair, deux ou trois gouttes de sang perlaient lorsque mon infirmière surgit, affolée. La cuisine avait signalé la disparition d'un couteau.

Si elle avait cherché à me prendre ce couteau des mains, j'aurais trouvé la force de l'étrangler, je crois.

De quoi se mêlaient ces gens qui, depuis huit jours, prétendaient décréter de ma vie et de ma mort? Mais elle dit : « Je vous en prie, rendez-moi ce couteau. Sinon, je vais être renvoyée. J'étais chargée de vous surveiller, de rester près de vous, je ne devais pas vous quitter.... »

Pendant un instant, j'ai cessé de m'apitoyer sur moi pour m'apitoyer sur elle. Je lui ai rendu le couteau. En nettoyant mon poignet, elle m'a parlé du service de nuit dont elle n'arrivait pas à prendre l'habitude; c'est moi qui devenais responsable d'elle, au lieu qu'elle le fût de moi.

Elle avait trouvé, d'intuition, comment il fallait désamorcer provisoirement ma violence, ce soir-là. Mais j'avais un long, un très long chemin à faire avant d'en être délivrée.

Je m'éternisais à la clinique parce qu'une fièvre mystérieuse persistait. Les fleurs envahissaient ma chambre. Je recevais des visites. Situation ridicule. Je n'étais ni une jeune accouchée, ni la rescapée d'un accident d'auto. Seulement une écorchée, une écorchée vive déchirée par une souffrance qui me labourait le cœur, au sens propre : j'avais mal physiquement, dans la région du cœur. Humiliée par ma déroute, je ne comprenais pas de quel séisme j'étais le théâtre.

« La psychanalyse est un remède contre l'ignorance. Elle est sans effet contre la connerie », disait Lacan.

Je ne lui demandais que de guérir mon ignorance. Et, du même coup, peut-être, ma souffrance. Souffrir, c'est vivre sans pouvoir vivre. J'étais au bout de moi-même.

Après quarante ans, une analyse peut faire des dégâts à certains égards. Encore que, si l'on se plie pendant de longs mois à cette épreuve, c'est que, de toutes façons, on est bon pour les dégâts. Mais pas les mêmes.

Par l'association des mots, l'analyse induit le patient à une remise en cause généralisée de ses choix, de ses idéaux, de ses valeurs. Selon l'expression de Lacan, elle fait « vaciller les semblants ». Lorsque, par le dévoilement de sa propre vérité, le patient devient lui-même, tout peut voler en éclats : mariage, métier, relations intimes, convictions philosophiques, tout... Il voit tout à coup qu'il avait tout faux, qu'il marchait jusque-là avec un pied gauche dans une chaussure droite.

Rien d'aussi violent ne m'est arrivé. Seulement quelques réajustements. Pendant quatre cents séances d'analyse chez Lacan, j'ai été chahutée, secouée, je suis sortie parfois de chez lui hagarde, c'était inévitable.

J'ai traversé une petite crise métaphysique. Je suis partie en quête d'une transcendance, mais, le temps de me découvrir une âme – découverte à laquelle Lacan assista, impavide – , je n'en eus plus l'usage.

J'ai appris durement que quelqu'un vous marque au fer par le langage avant même votre naissance, vous assigne votre place, vous impose son désir, que vous faites vôtre. J'ai subi l'effroi du dévoilement de l'inconscient par son irruption soudaine dans ma propre parole.

Quand j'ai commencé cette analyse, ma vie privée était un terrain vague. Quand j'en ai eu terminé, j'ai pu reconstruire avec un homme une relation harmonieuse et solide sur un nouveau diapason. J'en avais fini avec mon père.

Ma vie professionnelle a été un instant menacée. En cours de traitement, j'ai été tentée de tout abandonner pour entreprendre des études de médecine. Études, médecine, vieux fantasmes, vieilles plaies. Mais Lacan m'avait avertie de ne prendre aucune décision grave avant d'en être quitte avec l'analyse. Quand j'en fus quitte, quand je lui eus dit : « c'est fini », mes désirs de vagabondage hors journalisme avaient disparu.

Sauf à employer un jargon auquel je me refuse, inintelligible d'ailleurs au plus grand nombre, bien qu'il se répande comme de l'huile – ah, ces « sujets désirants constitués par un discours »! – il est impossible d'expliquer ce qui se produit en cours d'analyse par le seul effet de la parole, de l'association des mots et de leur interprétation. Mais à quoi bon le savoir? Non seulement c'est inutile, mais un tel savoir est nuisible à ceux qui demandent assistance à l'analyse. Informés, ils croient qu'ils ont tout compris alors qu'il ne s'agit pas de comprendre, mais de verbaliser. La théorie n'a jamais délivré personne de ses angoisses ni de ses névroses.

On peut aussi préférer garder les siennes intouchées, sans en avoir élucidé l'origine. Et si l'on vit bien avec, pourquoi pas? C'est quand on ne peut plus négocier avec soi-même, quand on souffre, qu'il ne reste plus qu'à s'étendre sur le divan en sachant que l'on y perdra pour toujours son innocence vis-à-vis des pourquoi de ses propres conduites, y compris celles qui ont belle apparence.

Le divan de Lacan se situait dans une pièce minuscule donnant sur une cour, rue de Lille. Plafond bas, odeur de cigare, petit bureau devant lequel il était assis. En principe, les patients d'un analyste ne doivent pas se rencontrer. Gloria, la secrétaire, les fourrait pour attendre dans un petit salon ou dans une bibliothèque succombant sous les livres, le tout plutôt fané. Lacan habitait avec sa femme, de l'autre côté du palier, un appartement joliment agencé, celui-là, mais, pour les patients, les choses allaient bien comme ça.

Avec ses yeux sombres étincelants et ses oreilles pointues, la présence de Lacan évoquait celle d'un chat noir après un repas de souris. Vêtu avec une recherche parfois exubérante – je me souviens d'une redingote d'astrakan gris! – , il parlait lentement, d'une voix traînante, hachant ses phrases de soupirs, les laissant souvent inachevées. Lorsque, sur le divan, un silence se prolongeait, il relançait d'un « Oui? ».

Il avait l'art d'interrompre chaque séance à un point sensible, au moment où le patient va pouvoir creuser, seul, un sillon fertile avant de revenir. Pas question de rater une seule séance ni de partir sans le payer, naturellement. Il prenait les billets d'une main négligente, les fourrait dans sa poche. Le prix, c'était à la tête du client. Il ne m'a jamais matraquée, peut-être par amitié.

Certains ont rapporté qu'il expédiait ses patients en dix minutes. Je ne suis jamais restée chez lui moins d'une demi-heure, toujours écoutée avec attention comme deux mots percutants, lâchés ici ou là, le montraient.

Peut-être, dans ses dernières années, a-t-il été moins scrupuleux, ou disons plus cynique, désenchanté.

Je l'ai beaucoup vu hors analyse. C'était un grand esprit original, un découvreur de génie, quoique veuillent bien en dire ceux qui, devant ses textes sibyllins, s'écrient :. « C'est un farceur! » Ce sont les mêmes qui disent : « Picasso? Mon petit garçon en fait autant. » Il y avait du Picasso chez Lacan, un goût évident de la provocation.

Un soir, il s'est quasiment invité à dîner chez moi avec Claude Lévi-Strauss. Ces deux honorables gentlemen rêvaient de connaître Mendès France, et celui-ci avait, bien sûr, accepté de les rencontrer. Même, il s'en réjouissait.

Nous nous retrouvons tous les quatre autour d'une table et mes deux zèbres ne disent pas un mot. Mais pas un! Lévi-Strauss est coutumier du fait. Des anecdotes célèbres circulent sur ceux qu'il a enragés par ses silences. Mais, sans être bavard – les analystes le sont rarement –, Lacan ouvrait la bouche de temps en temps. La, rien. De sorte que Mendès France et moi avons bavardé vaillamment tout le temps d'un dîner, puis d'un café, puis du délai décent pour abréger cette soirée, sans entendre le son de leur voix.

« Ils sont tous comme ça, vos amis? » me dit Mendès France en partant. Il riait.

J'étais honteuse.

Souvent, les gens avaient peur de Lacan comme si son œil diabolique allait les percer. Mais les analystes ne percent pas avec l'œil. Seulement avec l'oreille. Quand ils sont dignes de ce nom, naturellement, mais c'est une autre histoire. On ne confie pas ses pieds à n'importe quel pédicure; pourquoi confierait-on son inconscient à n'importe quel analyste?

Après mai 68, on attendait qu'il donnât l'un de ses célèbres séminaires et j'ai voulu, pour *L'Express*, en rapporter le contenu. On m'a dit : « C'est impossible. » J'y suis allée, j'ai écouté, j'ai pris des notes, j'ai écrit, enfin, six feuillets que je suis allée lui montrer avant publication. J'avais traduit du chinois, je pouvais me tromper!

Il a lu et m'a dit en haussant les sourcils, superbe : « Vous voyez bien que je suis clair! »

Cet article sur le séminaire de Lacan est l'un des bons souvenirs de ma vie de journaliste. J'en ai de plus grandioses, mais là, comprendre et faire comprendre fut pur plaisir. J'ai éprouvé le même à propos d'un texte de Malraux sur l'art, qui n'était pas précisément transparent. Plaisir aussi gratifiant, après quarante ans de pratique, qu'au premier jour. La matière n'est pas toujours aussi rebelle, heureusement, mais le mécanisme est toujours le même : saisir le sens, faire la synthèse, restituer clairement.

Ce n'est qu'un aspect du plus chatoyant des métiers. Il y a cent façons de l'exercer, depuis le grand reportage jusqu'au rewriting en passant par l'éditorial, l'enquête et les humbles légendes où l'on reconnaît tout de suite une patte.

La télévision a créé une race nouvelle, bien méritante. Quand je vois ces jeunes femmes qui, à Moscou, Varsovie, Pretoria ou Berlin, piétinent devant la caméra pour parler soixante secondes, je les trouve courageuses. Et on leur demande en plus d'être agréables à voir!

Le journaliste de télévision est un bâtard du cinéma et de la presse écrite, avec une liberté de parole d'autant plus restreinte que l'audience de la chaîne où il s'exprime est large. Sa principale liberté, c'est qu'il pose des questions. Et ce n'est pas rien quand on sait pousser les feux, forcer la proie jusque dans son terrier. Activité particulière qui n'est pas sans rapport avec la chasse.

Les bons enquêteurs feraient, eux, de bons policiers. Ils se muent d'ailleurs aisément en justiciers, et alors, gardez-vous de tomber sous leur patte. Quand le métier leur monte ainsi à la tête, ils sont capables d'aller dénicher votre nourrice dans la Creuse pour lui faire dire qu'à six mois vous étiez déjà pervers.

La plus célèbre enquête de l'histoire contemporaine est celle qui permit à deux journalistes américains, Woodward et Bernstein, de confondre le président des États-Unis, Richard Nixon, au moment de l'affaire du Watergate. Depuis, tout investigateur rêve de trouver son Watergate. Mais le lecteur français a une attitude ambiguë à l'égard des investigations très poussées, quand elles mettent en cause des personnes. D'abord il s'en délecte, mais, qu'elles se prolongent, et il tend à se retourner contre les journalistes, accusés d'« acharnement ». Aussi est-il improbable que l'on assiste jamais à l'équivalent d'un Watergate en France.

La presse écrite suppose... que l'on écrive, vite et sur une distance imposée. Mais il ne s'agit pas d'écrire à sa mère. Si l'attention du lecteur n'est pas captée dans les cinq premières lignes d'un article, il ne lira jamais la sixième. Il ne s'agit pas non plus de s'épancher, mais de délivrer, sous la forme la plus agréable possible, le plus grand nombre possible d'informations. Si le journaliste a un style, une écriture personnelle, toutes choses qui ne s'apprennent pas, tant mieux. S'il écrit plat mais qu'il apporte des informations au lecteur, ça ira encore très bien. S'il n'a ni écriture, ni capacité de collecter les informations et de leur donner forme, il a intérêt à changer de métier.

Du journaliste, on attend qu'il informe; de l'éditorialiste, on attend des idées. « Trois feuillets, une idée », disait Albert Camus, journaliste-né; parce qu'il écrivait court. François Mauriac aussi. Raymond Aron également. Et le plus grand, Victor Hugo, dans *Choses vues.* Relire la mort de Balzac.

Sartre, en revanche, avait besoin de s'étaler : trente, quarante feuillets. Ensuite on pouvait tailler dedans, il s'en moquait, Beauvoir s'en chargeait. Malraux n'était pas non plus un articlier.

Quoi qu'un journaliste écrive, il est soumis à des délais qui le mettent sous tension. Il s'y prend toujours le plus tard possible, parce que c'est déchirant, l'écriture, ça vous arrache quelque chose d'intime. Alors on remet, on remet... Et l'heure tourne. On achève toujours à temps, mais toujours on croit qu'on n'aura pas fini.

Sans cette tension qui se faufile dans les lignes et les pages d'un journal, il n'y aurait pas ce qui donne au journalisme son caractère propre, fiévreux : vite fait, vite lu. Un article n'est pas une thèse, une dissertation; il y a des livres, des revues pour cela. Le journalisme est par essence fugitif, superficiel et comestible.

Les esprits profonds y sont mal à l'aise, ceux surtout qui se consacrent à une spécialité et souffrent mille morts de voir ladite spécialité traitée avec désinvolture. Les esprits légers ou irresponsables y sont dangereux. Le bon journaliste est un animal vif à l'esprit curieux.

Qu'est-ce qui le fait courir alors qu'il est médiocrement payé par rapport à ses homologues italiens ou britanniques[1], que ses horaires sont rudes et que la

1. Dans la presse écrite. La télévision, elle, rétribue à prix d'or ceux qui sont supposés retenir le chaland. Mais pas les autres.

profession est plutôt mal considérée : des – gens – qui – fourrent – leur – nez – partout – quand – ils – parlent – de – ce – que – je – connais – il – y – a – toujours – une – erreur?

Les erreurs... J'ai écrit un jour un article pour le *New York Times*, qui passe pour le meilleur journal du monde. J'ai reçu trois coups de téléphone pour me demander de confirmer que tel chiffre était bien exact, que telle date avait bien été vérifiée, que tel prénom s'accordait bien à tel nom... J'étais éblouie. Voilà, me dis-je, des gens sérieux. Le journal est sorti. Mon nom y était écrit avec un *x*. Ils étaient penauds à New York.

On peut vérifier, on peut vérifier énormément, on doit vérifier, il y a toujours un petit poisson qui se glisse entre les mailles des lignes.

Ce qui fait courir le journaliste c'est le sentiment de remplir une mission d'intérêt public. Les pires extorqueurs de confidences ou de photos de la victime en communiante en sont persuadés. Le public a le droit de savoir, le journaliste a mission de lui faire savoir.

Et puis quoi! Il y a le pouvoir, le pouvoir sur les puissants. Dix lignes dures, cinq lignes élogieuses, et quelqu'un dans l'establishment sera meurtri au fond ou tout épanoui. Dans l'establishment ou ailleurs. Mais le commun des mortels n'est pas, pour son bonheur, en butte à ces aménités.

Le pouvoir de la chose imprimée sur les puissants, donc, ce pouvoir est resté entier. Pour un mot sévère, j'ai reçu trois pages manuscrites de ministres en exercice, et pas des plus négligeables.

Le journaliste peut, en retour, subir des représailles. Ce fut le cas pendant la guerre d'Algérie où nous fûmes quelques-uns en danger, François Mauriac le premier. Mais la période était de grande émotion.

Aujourd'hui, on conseillera à l'insolent de vérifier, avant de tirer ses flèches, qu'il est bien en règle avec le fisc. Mais, en règle générale, le journaliste n'est pas exposé. Il juge mais n'est pas jugé, il critique mais n'est pas critiqué, il fouille dans la vie des autres mais on ne fouille pas dans la sienne, il persifle mais n'est jamais moqué. Ce n'est pas épatant, ça?

Il faut qu'il aille très loin pour se faire rosser. Cela arrivait, il y a bien des années, à Henri Jeanson qui écrivait au vitriol et ne brillait pas par le courage physique. Le voyant un jour dans la rue, l'acteur Jean Murat, qu'il avait ridiculisé, s'approcha et lui donna un formidable coup de pied au cul. Sans se retourner, Jeanson murmura : « C'est du 43. »

Débuter dans la presse en dirigeant la rédaction d'un journal est extrêmement original. Mais Hélène Lazareff avait eu un grave accident de santé, peu après le démarrage de *Elle*, j'étais là, j'ai fait ce que j'ai pu pendant quelques mois, en même temps que je fabriquais un bébé.

Pierre Lazareff, attendri, me répétait tous les jours : « Surtout, ne vous fatiguez pas trop... » Mais j'étais non fatigable. Je n'ai jamais accepté l'idée que je pouvais être fatiguée. Petite névrose personnelle. En vérité, longtemps j'ai été en fer. Et maintenant je suis vieille, c'est autre chose.

Mon bébé est né bien fini, bien ourlé, Hélène est revenue, réparée, et notre aventure commune a commencé.

Un coup de foudre réciproque nous avait frappées, dès ce 21 janvier 1946 où j'étais arrivée chez elle pour déjeuner. Je me souviens de la date parce que, ce jour-là, de Gaulle avait annoncé son retrait, ce dont Hélène se moquait manifestement.

Dans le grand appartement impersonnel où elle campait, loué meublé, elle avait réussi à créer un îlot un peu chaleureux autour d'une table volante.

Elle vint à ma rencontre en marchant sur la pointe de ses pieds nus. Même ainsi, elle était plus petite que moi, c'est-à-dire vraiment menue, corps gracieux, visage chiffonné sous une frange qu'elle remettait sans cesse en ordre.

Pendant le déjeuner, Pierre Lazareff nous rejoignit un instant, tout agité, lui, par le départ de De Gaulle. Il était à peine plus grand que sa femme, chétif, avec un visage tendre de gosse qui n'aurait jamais pris de vacances.

De l'un et de l'autre émanait une séduction dont ils usaient d'abondance.

Il dirigeait *France-Soir* dont les péripéties financières ne faisaient que commencer. Elle dirigeait *Elle*, dont les premiers numéros venaient de sortir, fruit d'une combinaison hétéroclite de commanditaires parmi lesquels un antiquaire et l'un des fils de Paul Valéry. Les Lazareff – après l'intermède de la guerre – n'avaient pas encore établi leur souveraineté.

Installés, ils ne le furent jamais vraiment. Partout où ils habitèrent, à Villennes, à Louveciennes, recevant Premiers ministres et premiers rôles dans toutes les catégories, on avait le sentiment qu'après le déjeuner, le maître d'hôtel démonterait le décor. Ou qu'un huissier se présenterait pour saisie. Autour d'eux, tout paraissait précaire.

J'ai toujours connu Pierre endetté, quoi qu'il gagnât. Il faut dire qu'il entretenait plus de femmes que Barbe-Bleue, pour peu qu'elles lui eussent accordé un jour quelques faveurs, sans compter diverses personnes ici et là. Sa générosité était illimitée. Son crédit l'était presque.

Le charme d'Hélène m'ensorcela, sans doute parce qu'elle était tout ce que je n'étais pas : extravertie, fantaisiste, exclusive, capable de toutes les folies sous l'empire de la passion qui était son mode d'être quotidien. Elle était russe, on ne peut plus russe, et quelque chose en moi est vulnérable à la russité.

J'ai été mariée pendant près de dix ans avec un Russe pétri de ce qu'on appelle, faute de mieux, le charme slave. Même la langue russe m'émeut, sa musique. T. avait beau être économiste de formation, tous les Russes sont par quelque côté des petits-enfants de Dostoïevski, auprès desquels on se sent, jusqu'à la nausée, petits-enfants de Descartes. Mais T. avait, en même temps, une structure d'esprit qui lui permettait d'aller toujours droit à l'essentiel, à la substance d'un dossier, au point crucial d'une situation. J'ai beaucoup appris avec lui à cet égard. Il a formé mon appréhension des choses. Il me disait : « Réfléchissez à ce que vous faites : si vous prenez telle décision, au mieux vous n'aurez pas d'ennuis! » Conseil que je ne saurais trop répandre à mon tour...

T. m'a assombrie aussi. De dures épreuves avaient accentué son cynisme naturel. Il observait le cours des choses et les jeux des hommes avec une hauteur humoristique mais désespérée. Il n'était pas tonique. Il était russe.

Hélène fonctionnait tout autrement. L'exactitude, l'ordre, l'organisation, autant de notions qui lui étaient étrangères. Cependant, elle réfléchissait vite et bien au milieu de son désordre personnel. Elle avait une solide expérience professionnelle, acquise aux États-Unis où elle avait passé cinq ans dans les meilleurs journaux. Elle maîtrisait en particulier l'usage de la couleur, encore inconnu en France.

Elle arrivait d'Amérique forte de cette expérience, mais aussi d'un optimisme, d'une attitude positive rafraîchissants, stimulants, après cette longue nuit de l'Occupation dont nous sortions quelque peu poussiéreux.

Elle était, en somme, une russe américaine ultra-parisienne mais ignorant la France, l'autre, celle qui mettait un brin de lavande dans ses piles de draps et gardait les petits bouts de ficelle ne pouvant servir à rien.

Que l'on choisisse un tissu pour sa solidité présumée lui paraissait bouffon. Que l'on accommode des restes, écœurant. D'ailleurs, la cuisine l'ennuyait, le tricot la faisait bâiller. Pour la taquiner, T. lui disait : « Savez-vous pourquoi j'ai épousé Françoise? Parce qu'elle sait faire la confiture de framboises en laissant les fruits entiers. » Mais j'ai déjà raconté cela quelque part, pardon. Elle riait : faire de la confiture, a-t-on idée quand il y en a de si bonne chez Hédiard ou chez Fauchon!

Mais, justement, avec sa culture américaine, elle véhiculait une modernité qui, pour le meilleur et pour le pire, allait envahir la société française. Elle était faite pour le monde des briquets que l'on jette, des robes qui font une saison, des emballages en plastique. Dans la France minée, la société de consommation était encore loin. Mais son hystérie du changement, Hélène en était déjà porteuse.

Nullement féministe, elle pensait que les femmes sont faites pour séduire puis retenir, que c'est la grande affaire de leur vie, et qu'il fallait donc les aider à la réussir, leur apprendre à être belles, peau lisse, cheveux brillants, robes à faire tourner la tête...

Elle écrivait médiocrement, mais savait tout de la fabrication d'un magazine, de son rythme, de son œil – les grandes règles sont toujours les mêmes, quel que soit le magazine – et ce qu'elle savait, elle me l'a enseigné.

Nous avions fixé le profil de celle qui allait lire *Elle* : c'était la lectrice d'Angoulême. Pourquoi Angoulême, j'ai oublié. Peut-être à cause de Rastignac. En tout cas, cette lectrice habitait Angoulême, elle avait entre vingt et trente-cinq ans, et, après cinq ans de guerre, elle avait envie de vivre...

Hervé Mille disait d'Hélène : « Elle est étonnante. Elle fait le journal des femmes françaises et, au fond, elle n'aime ni les femmes ni la France! » N'importe. Elle avait un talent fou pour animer, pour inspirer, pour créer.

Je contrebalançais son exotisme, moi qui savais faire des confitures. Nous nous sommes bien amusées ensemble.

Nous partagions le goût effréné des robes. À la tête d'un journal, on a, de ce côté-là, quelques facilités. J'en ai beaucoup usé. Ma frivolité s'est toujours réfugiée tout entière dans les vêtements, même si je les choisissais noirs là où Hélène commandait du rouge. J'ai aimé les robes comme d'autres aiment le jeu, incurablement.

Aujourd'hui encore, je prends soin de ma vieille carcasse et je lui offre, dans la mesure du possible, des enveloppes bien coupées où le corps se sent en sécurité. Mais c'est autre chose. Rien de commun avec la robe-étui indissociable, jusque dans l'austérité, du jeu érotique.

J'avais bonne conscience, de surcroît. Voir les collections, sélectionner des modèles, les photographier, les raconter, les interpréter en faisant un peu de sociologie de la mode, ce langage percutant, tout cela faisait partie du travail.

En quelques années, le style *Elle* s'est imposé, incisif, le journal a acquis un impact et une notoriété supérieurs à sa diffusion réelle, freinée par sa liberté de ton.

Elle ne pénétrait ni la France profonde ni les milieux populaires où l'on avait envie de nourritures sentimentales et de trucs pour enlever les taches, plutôt que de mode sophistiquée. Nous avons perdu la Bretagne à cause d'un article intitulé « Elle a choisi la liberté. » Il s'agissait d'une femme qui demandait le divorce. Pierre Lazareff faillit s'étrangler : « Vous êtes folles, disait-il, folles! » Il aurait tant aimé que nous appliquions des recettes plus classiques, que nous fassions son *France-Soir* au féminin, en somme. Il savait si bien ce qui fait rêver, ce qui fait pleurer, ce qui fait vendre du papier. Il suffisait qu'il s'interroge : « Qu'est-ce qui me touche? » Comme tout grand directeur de journal, il était son premier lecteur. Il ne voulait pas qu'on l'attriste, moins encore qu'on le fasse réfléchir ou que l'on remette en question l'ordre des choses et des institutions.

Mais Hélène n'en faisait qu'à sa tête. Quant à moi, j'ai lutté trois mois contre l'introduction dans le journal d'un horoscope, rubrique que je jugeais, d'un ton tranchant, déshonorante. Mais il fallait bien céder un peu, sur les marges, pour que le journal se consolide et se développe.

J'ai travaillé très rarement pour *France-Soir*, Une fois, grâce à la vieille amitié qui me liait à Roberto Rossellini, j'ai pu pénétrer dans l'appartement de Rome où il abritait Ingrid Bergman et leur bébé tout neuf, Robertino, véritable forteresse gardée par la police, interdite aux journalistes et aux photographes du monde entier qui rôdaient autour comme des loups. C'était la première photo de Robertino qu'ils voulaient.

Quelle histoire! Quelle drôle d'histoire, ce couple si peu assorti, au moins en apparence, mais de si bonne qualité humaine, englué dans cette célébrité obscène au mépris de toute dignité. Elle préparait, dans la cuisine, des spaghettis qu'elle n'aimait pas; lui tournait en rond, les nerfs sciés, sur le toit de l'immeuble où dormait Robertino, qui ne sortait jamais. Ce toit, ç'avait été un pied de nez ingénieux aux photographes. Aucun n'a pu y accéder.

Cette fois, j'ai fait rêver et pleurer, dans *France-Soir*, sur les amants excommuniés. Et ce fut de bon cœur. Ils étaient émouvants.

Une autre fois, *L'Express* existait déjà, mais Pierre Lazareff avait insisté pour que j'assure le reportage sur le couronnement de la reine Elisabeth. Je ne sais pas écrire autrement qu'à la machine. On m'avait donc installé, à Londres, une petite table et un téléphone sur un balcon bien situé. L'ennui est qu'il pleuvait et que rien n'avait été prévu pour me protéger. Je tapais donc, sous la pluie, au fur et à mesure que se déroulait le cortège, puis je dictais. À l'autre bout du fil, Pierre Lazareff ménageait les transitions entre mes morceaux d'article pour les successives éditions de *France-Soir*. Il était plus heureux, là, à faire ce travail de secrétaire de rédaction, que dans tous les conseils d'administration où il siégeait. Et moi, trempée jusqu'aux os, j'étais heureuse aussi.

Mais ce journalisme-là – qui se fait maintenant à la télévision – n'était pas ma tasse de thé. La reine Elisabeth, je n'avais rien à en faire.

Pierre Lazareff a usé de tous ses sortilèges pour me convertir à sa vision de la presse et de sa fonction. Quand nous lui avons apporté, avec Jean-Jacques Servan-Schreiber, le premier numéro de *L'Express* – austère ô combien – , il l'a regardé, consterné. Quand la nouvelle formule a été créée, dix ans après, il a agité le premier numéro dans la salle de rédaction de *France-Soir* en disant : « Regardez bien... C'est exactement ce qu'il ne faut pas faire!... »

Il n'avait pas vu naître et se former une nouvelle couche de lecteurs. En revanche, il a été l'un des premiers à savoir se saisir de la télévision.

Hélène, elle, avait au contraire anticipé sur son temps.

Un jour, au lieu de partager la même chaise, tant nos locaux étaient exigus, nous avons eu droit à deux bureaux et à une secrétaire chacune. Le journal s'est étoffé en personnel de grande qualité, il avait décollé.

Après, j'ai commencé à m'ennuyer. J'aime les actions de commando plus que les institutions. J'y suis meilleure. Les premières années de *Elle* avaient répondu à ce goût que j'ai des petites équipes bien soudées fonçant vers un objectif.

Dire de *Elle* que ce fut le véhicule d'un combat d'idées, non. Mais la liberté d'esprit y soufflait, teintée parfois de provocation quand nous demandions par exemple : « Les Françaises sont-elles propres? » Enquête, réponse : « Non! »

Je n'étais pas féministe au sens généralement donné à ce terme. Je n'avais aucun grief contre les hommes, même si je pensais déjà – je pense toujours – qu'à conditions égales, la vie est toujours moins dure pour un homme que pour une femme. Mais était-ce leur faute?

Comme disait Mme de Tencin, à la façon dont il nous a traitées, on voit bien que Dieu est un homme.

Il me semblait qu'une si longue histoire, celle de la domination des femmes par les hommes, exigeait une analyse plus subtile que celle publiée par Simone de Beauvoir. Beaucoup de femmes, sans doute, prendraient conscience, grâce à elle, de leurs virtualités, des pressions qui déviaient leur trajectoire. Mais, en même temps, je ne me sentais pas concernée par *Le Deuxième Sexe*. Ce pour quoi je me sentais femme n'était nullement une superstructure, un placage que l'on m'aurait imposé, jusqu'à me déformer. C'était le contraire.

La part féminine de moi-même, c'était l'essentiel, le fondamental, le squelette où s'accrochait tout le reste. Je trouvais aussi, dans le dénigrement de la maternité par Simone de Beauvoir, quelque chose de niais. D'immature.

Bref, il y avait à prendre dans Beauvoir, mais il y avait aussi à laisser. Et dans ce qu'il y avait à prendre, pour mon compte, je ne l'avais pas attendue.

Aux lectrices de *Elle*, je répétais seulement avec persévérance qu'il n'y a pas d'indépendance qui ne soit économique, et qu'il faut conquérir la sienne à tout prix – ou cesser de geindre.

À une tentative timide pour aborder, que dis-je, pour effleurer la question de la contraception à partir d'exemples étrangers, Pierre Lazareff avait opposé un veto absolu : « Il y a deux sujets tabous, me dit-il, vous devez le savoir. On ne dit jamais du mal des chiens et on ne parle pas de contraception. »

En ce temps-là quand j'y pense, les hommes étaient encore habités par les femmes, les femmes au pluriel. Il me semble que c'est fini. En se réappropriant leurs corps, elles ont cessé de hanter les esprits. Ce n'est pas trop cher payé.

Avant que Pierre ne meure d'un cancer, et qu'Hélène entre dans l'inexorable nuit de la maladie d'Alzheimer, les Lazareff ont régné pendant plusieurs années sur Paris, et ils m'ont introduite dans une certaine société parisienne qui était alors brillante et stimulante. Le discours sur la décadence n'était pas encore entamé.

Il ne s'agissait pas de la société des gens dits « du

monde », laquelle, pour ce que j'en connais, est d'un ennui pesant. On y regarde les artistes, les créateurs comme des bêtes de zoo que l'on se flatte d'avoir un soir à sa table pour les exhiber. Après quoi, pour un peu, on ferait désinfecter la vaisselle.

La société parisienne, celle dont on retrouvait trace dans des chroniques du même nom, c'était un mélange de têtes de séries toutes catégories : grands patrons de la médecine, couturiers en vogue, romanciers couronnés, avocats en vue, peintres fêtés, belles comédiennes, politiques en devenir, etc. Ces personnages de la scène parisienne existent encore, comme ils ont toujours existé. Ce qui a disparu, ce sont les coagulateurs. Éditeurs, directeurs de journaux, marchands de tableaux, ou encore riches oisives. Les déjeuners des Lazareff, les dîners de René Julliard, les cocktails des Gallimard, les fêtes d'Aimé Maeght, il n'existe rien d'analogue aujourd'hui, du moins à ma connaissance.

On trouve encore des Parisiens réunis dans les projections privées, dernier lieu où ils peuvent se frotter l'un à l'autre, petite compagnie agréable à condition de savoir qu'elle vous tournera le dos dès qu'un échec viendra ternir votre étoile. À supposer que vous soyez encore invité.

Plus important, les Lazareff m'ont transmis une part de leur savoir, qui était grand; ils m'ont ouvert leur cœur, leur maison, leurs journaux; ils m'ont entourée de leur chaleur; tout ce que l'amitié peut donner, ils me l'ont donné. Encore que je bute sur le mot *amitié*. Ce n'était pas de l'amitié.

Lui aimait tout le monde, même ses pires adversaires, même de noires crapules auxquelles il donnait du travail, et il y avait une telle foule dans ce cœur si grand que le mot amitié, dans ce qu'il a de sélectif, n'a plus de sens. J'avais de la tendresse pour lui, ce qui est différent. Ce tout petit homme postillonnant, avec ses lunettes sur le front, incapable d'écraser une mouche, qui a toujours su, du fond de sa Bentley, ce que l'on pensait à Aubervilliers, était attendrissant. On avait curieusement envie de le protéger, lui, le puissant Pierre Lazareff, tant il paraissait peu cuirassé.

Quant à Hélène, l'amitié n'était pas son registre. Elle vivait toutes les relations humaines sur le mode de l'amour, et c'est bien de l'amour qu'il y a eu entre nous, avec, de sa part, des accès de jalousie. Quand Pierre Lazareff m'a donné l'occasion de commencer une série de portraits dans le premier *France-Dimanche*, elle a salué mes premiers articles par des ricanements. Quand il a créé, pour moi, une colonne dans l'éphémère *Intransigeant*, elle m'a boudée, carrément. Quand j'ai commencé à me morfondre à *Elle*, Hélène a été blessée au fond, ulcérée comme d'une trahison. Elle souffrait. Pierre comprenait, lui, et m'a demandé : « Qu'est-ce que vous voulez faire? » Je voulais voir l'Amérique.

Ce qu'était alors le mythe de l'Amérique, on ne peut même pas l'imaginer. Les libérateurs, l'avenir en marche, l'opulence, le jaillissement de la création, Chaplin, Stroheim, Garbo, les films de Frank Capra, le jazz. Dos Passos, Faulkner, images de légende qui avaient nourri les rêves de notre jeunesse. Et voilà que l'Amérique était à portée de la main.

« On a tout écrit sur l'Amérique, mon chéri », me dit Pierre. Je jurai que s'il me payait le voyage, j'arriverais à écrire autre chose. Par pure gentillesse, il a cédé.

C'était mon premier reportage, il fallait que je trouve une idée. Je me suis engagée comme vendeuse dans un grand magasin de New York, *Lord and Taylor*, pendant quinze jours. Là, j'ai regardé en quelque sorte les Américaines à l'envers. Du point de vue de l'employée, et – avec les autres vendeuses – de la collègue de travail. Personne ne l'avait encore fait. Pierre a été content.

La nuit, je m'enivrais de jazz. C'était le temps où toutes les Américaines portaient un chapeau, où il y avait à New York un hôtel exclusivement réservé aux femmes, où il était exclu de partager une chambre d'hôtel avec un autre homme que son mari, où la drogue n'existait pas, le jean non plus, où New York n'avait pas encore, à quelques centaines de mètres de son cœur, l'aspect d'une ville du tiers monde, et n'était pas encore en voie de devenir la propriété des Japonais. C'était le temps où les Américains votaient pour Eisenhower.

Pendant la campagne pour la Maison-Blanche, j'avais vu souvent, à la télévision, les deux candidats en présence et je m'étais dit : « Eisenhower contre Adlaï Stevenson, c'est Maurice Chevalier contre Jean Vilar. Comment peut-on s'interroger sur le résultat? »

Comme je ne connaissais strictement rien à la politique américaine, je me tenais coite. Autour de moi, tout le monde donnait Stevenson gagnant. Il a perdu.

Après l'élection, j'ai sollicité et obtenu un entretien avec Dwight Eisenhower. Il n'était pas encore à la Maison-Blanche. Il m'a reçue à l'hôtel. Les politiciens ont toujours, là-bas, leur quartier général dans des hôtels. Accueillant, exceptionnellement sympathique avec son grand sourire, il a répondu à toutes mes questions, puis m'a dit :

– Vous ne prenez pas de notes?

Je dis que je n'en prenais jamais. Il voulut savoir pourquoi.

– Parce que si je griffonnais sous votre nez, vous seriez peut-être moins détendu, et, au lieu de vous regarder, je regarderais mon bloc.

Le magnétophone n'était pas encore de ce monde.

Ma réponse lui plut. Mais il ajouta :

– Je ne saurai jamais si votre mémoire est fidèle ni si vous m'avez bien saisi. Je ne lis jamais ce qu'on écrit sur moi.

– Pourquoi?

– Parce que ça me fait du mal et que ça n'en fait pas à ceux qui ont dit de méchantes choses.

Je l'ai quitté avec cette phrase dans les oreilles.

À l'époque, j'étais abonnée à l'une de ces agences qui se chargent de collecter toutes les coupures de presse vous concernant. J'avais pris cet abonnement à cause des films auxquels je participais, pour en connaître les critiques.

Une fois à Paris, j'ai résilié cet abonnement. Et j'ai retenu pour toujours la leçon d'Eisenhower.

En rentrant des États-Unis avec un supplément de bagages de vingt kilos, tant il y avait encore, en 1952, de cadeaux précieux à en rapporter, j'ai démissionné. Ces années passées à traiter de la copie, à manipuler des sujets d'articles, à les faire écrire, à voir Hélène jongler, petite flamme vive, m'avaient apporté ce dont j'allais avoir besoin pour faire un nouveau journal.

Ces années-là, Gallimard publia un premier recueil des portraits que j'avais écrits pour *France-Dimanche.* Il contenait un texte dont je m'enorgueillis : six pages sur François Mitterrand à trente ans. J'avais eu l'œil.

L'écho du livre fut immédiat. Sur quoi, la revue de Jean-Paul Sartre, *Les Temps modernes*, bible de l'intelligentsia, me consacre quelques colonnes intitulées « Du hareng saur au caviar ». Au nom du prolétariat offensé, j'étais clouée au pilori. Qu'avais-je donc fait? En décrivant une série de personnages touchés par le succès, je montrais que je n'avais rien compris à la lutte des classes et que je sacrifiais de façon abjecte à l'individualisme triomphant.

L'auteur de l'article était un jeune homme de bonne famille bourgeoise qui gagnait sa vie à *France-Dimanche* et faisait son salut aux *Temps modernes*. Il avait, comme on dit, mis le paquet.

J'étais attaquée publiquement pour la première fois. Il n'est pas vrai qu'on s'habitue, qu'on se blinde contre la malveillance. Au contraire. C'est comme dans la vie. Plus on a pris de coups, plus le suivant fait mal. C'est pourquoi il faut appliquer la méthode d'Eisenhower. Mais le premier, tout de même, surprend.

Je me dis qu'un jour, je tirerais vengeance de ce

champignon qui avait poussé aux pieds de Sartre, et ce fut le cas. Bien des années plus tard, le champignon eut grand besoin de travailler. Sa plume était bonne. Il a reçu un emploi à *L'Express*. Vengeance subtile, comme je les aime.

Plus important, je m'interrogeai : cette représentation qu'il donnait de moi, se pouvait-il qu'elle fût exacte, comme une caricature peut l'être? Cela méritait examen. J'y procédai. Il me fut utile, comme il est utile, parfois, de surprendre son reflet de trois quarts dans un miroir.

Étais-je devenue une individualiste forcenée, indifférente à l'iniquité de la société bourgeoise dès lors qu'elle m'invitait à son banquet? Non. Sous le confort et les agréments de ma vie, je n'avais jamais cessé de savoir qu'il existait un autre monde écrasé par un labeur sans joie, une misère sans espoir. J'étais beaucoup plus sensibilisée à l'injustice sociale qu'à vingt ans, quand je ne savais même pas ce que recouvrait le mot « société ».

Depuis, un de mes amis, J.B., s'était employé à m'instruire. J.B. était professeur de philosophie, roux et vertueux. Il lui arrivait de rougir.

Comme je cours toujours derrière ceux qui ont quelque chose à m'apprendre et qu'il adorait enseigner, nous nous entendions très bien. C'est lui qui m'a déniaisée en philosophie. Mais quand il avait entrepris de me convertir au communisme, j'avais renâclé.

« Nous allons changer le monde », me disait-il. Changer le monde, cela m'allait, je le trouvais révoltant. Mais comment? Un cours de marxisme élémentaire m'avait laissée dubitative.

Changer l'homme? Les horreurs particulières de la guerre, de cette guerre-là, m'avaient détournée de croire que la face noire de l'homme puisse jamais être abolie. Le génie humain, le progrès scientifique, celui de l'organisation sociale, oui, j'y croyais; mais les progrès de l'homme socialiste devenu mouton dans un monde sans loups, foutaise! Je criais à J.B. : « C'est la condition humaine qui est tragique, tu ne comprends pas? Ça sert à quoi d'enseigner la philosophie? »

Mais il poursuivait, imperturbable, son rêve.

Au deuxième article du credo, on trouvait le prolétariat rédempteur, substitué au Messie pour recréer le Paradis sur terre.

Au troisième, l'histoire du monde résumée à la lutte des classes. Était-ce vraiment le seul moteur de l'Histoire? Je ne savais pas. J'aurais aimé apprendre à ce sujet, lire, réfléchir, comprendre. Mais J.B. me gardait prisonnière de son évangile où je ruais.

Je finis par lui dire la vérité : que, marxiste ou pas, son attitude à l'égard du Parti, son humilité, sa dévotion, la sacralisation de Thorez, de Staline, tout cela me donnait l'impression d'avoir en face de moi un curé. Comme ils l'étaient tous, d'ailleurs, à cette époque, ceux qui vous catéchisaient au nom de saint Staline. Et si on n'adhérait pas à leur foi, qu'est-ce qu'on était? Une ordure. J'ai souvenir de Simone Signoret, que j'ai bien aimée d'autre part, devenue infréquentable, insupportable, interdisant que l'on émette le moindre doute sur le paradis soviétique, insultant H.G. Clouzot, muée en mégère...

Je crois que ce qui m'a protégée des sirènes du communisme, ce sont les communistes. Ou, si l'on veut, une raideur de mon esprit qui me rend réfractaire au dogmatisme, méfiante devant les grandes exaltations collectives, attachée à l'esprit critique.

Aujourd'hui, je tiens le scepticisme pour une valeur essentielle. Seuls les sceptiques savent qu'ils ne savent pas. On ne les trouve à l'origine d'aucune dragonnade, d'aucune bestialité. Ils cherchent la vérité mais ne prétendent jamais la connaître.

En ce temps-là, j'avais seulement espacé, jusqu'à les supprimer, mes relations avec le pauvre J.B. Pauvre parce qu'il eut un infarctus après l'entrée des chars soviétiques à Budapest, en 1956. Il y laissa sa raison de vivre.

Les admonestations des *Temps modernes* ne tombaient donc pas sur une petite bourgeoise naïve découvrant soudain son indignité. Mais elles firent éclater cette indignité à mes propres yeux. Eh bien, je l'assumerais! Je n'allais sûrement pas, pour être bien vue à Saint-Germain-des-Prés, me muer en « communiste de salon », espèce qui tendait à proliférer. On avait même vu un romancier renommé – il l'est toujours – partir faire le tour de l'Union soviétique en Rolls!

Qu'est-ce que j'étais, alors? J'étais, ô horreur et abjection, réformiste. En d'autres termes, je croyais qu'il faut lutter sans cesse pour plus de justice, pour plus d'équité, pour d'autres conditions de vie et de travail, mais que, comme le disait mon très cher Paul Valéry, Ampère a fait davantage pour l'humanité que Lénine.

Tout cela, que je ne savais pas dire clairement, me situait dans la mouvance de la gauche, ce qui consternait les Lazareff.

Des souvenirs atroces de la révolution de 1917 avaient violemment rejeté Hélène vers la droite. Il y avait de quoi. D'ailleurs, la politique ne l'intéressait pas. Pierre était, par nature, gouvernemental, quel que fût le gouvernement, épris d'ordre. Il était beaucoup trop tolérant pour me reprocher l'expression parfois trop vive de mes révoltes confuses.

J'étais intransigeante alors – je le suis encore sur

quelques points rares mais essentiels! – , crispée contre les prétendues élites dirigeantes dont je n'apercevais que l'insouciance et l'égoïsme.

Le soir de la chute de Cao Bang, en Indochine, c'était à l'automne 1950, François Mitterrand avait dîné chez moi avec sa femme. Il était ému, grave, il faisait une analyse très pessimiste de la situation. Je ne comprenais pas cette guerre-là, ni cette façon qu'avait la France d'aller chercher à Washington l'investiture de ses gouvernements.

Pour me l'expliquer, j'allais avoir un maître.

Jean-Jacques Servan-Schreiber, Simon Nora, Jacques Duhamel, Valéry Giscard d'Estaing... Ils avaient à peu près le même âge, ils étaient bardés de diplômes, ils jouaient au tennis ensemble, ils voulaient construire une France moderne, leur désir se nommait pouvoir.

À chaque génération se détachent ainsi, avant trente ans, quelques surdoués qui se développent ensuite avec plus ou moins de bonheur. Mais il me semble que les spécimens d'aujourd'hui sont davantage occupés d'argent, voire de notoriété littéraire, et qu'ils ne frémissent plus du même désir d'agir sur les choses. En tout cas, ils ne paraissent pas en prendre les moyens.

François Mitterrand, ardent et opaque, était plus âgé. En ce début des années cinquante, il avait déjà été ministre deux ou trois fois. Pierre Mendès France avait encore quelques années de plus – quarante-trois ans en 1950 – , mais son prestige intellectuel lui donnait déjà posture de maître.

Quand de Gaulle avait choisi la politique économique de René Pleven de préférence à la sienne, potion jugée trop rude pour la France en 1945, Mendès France avait démissionné avec éclat, dans une lettre comme de Gaulle n'a pas dû en recevoir beaucoup, mais qu'il publia néanmoins dans ses

Mémoires. Depuis, Mendès France, député de l'Eure, président de la Commission des Comptes de la Nation dont il avait été l'initiateur, négociateur pour la France dans les grandes conférences internationales, n'avait cessé d'agrandir son autorité, assise sur la rigueur de ses analyses et l'originalité de sa pensée.

Je ne connaissais pas le milieu où cette autorité s'exerçait et n'en avais qu'une vague idée lorsque, fin décembre 1951, Jean-Jacques me dit : « Mendès intervient cet après-midi à l'Assemblée. Il faut absolument que vous l'entendiez. »

La France vivait alors sous la dictature du Parlement qui faisait et défaisait les gouvernements à bonne allure. L'Assemblée nationale n'était pas encore la chambre d'enregistrement qu'elle est devenue, les affaires publiques ne se traitaient pas à la télévision, encore balbutiante, et le débat sur le budget promettait d'être important. Néanmoins, je me sentais peu concernée et je dis que j'avais, ce jour-là, d'autres obligations.

Jean-Jacques dirigeait à l'époque le service étranger de *Paris-Presse*. Déjà, rien ne l'intéressait, rien, hormis les affaires de la France, et plus généralement celles du monde, qu'il considérait comme siennes. Il me regarda, incrédule. Que pouvait-on avoir à faire de plus important que d'écouter Mendès France? Et que pouvais-je avoir à faire de plus important que de lui faire plaisir en l'accompagnant?

Je n'avais jamais mis les pieds à l'Assemblée nationale. De la tribune des journalistes, j'observai cette cuve sans fenêtres, houleuse, sinistre. Enfin, vers six heures, un homme brun, trapu, pâle, monta à la tribune. Il allait parler deux heures dans un silence total.

Mendès France n'était pas un grand orateur au sens où on l'entend généralement. Aucun effet, rien de lyrique, rien d'épique, la sobriété. Mais la voix nette, bien posée, servait un propos lumineux, superbement efficace. Il avait le don de clarté. Ce jour-là, il attaquait la politique du gouvernement Pleven – ou Bidault, je ne sais plus, un gouvernement quelconque de la IVe République, englué dans la guerre d'Indochine. L'exécution fut terrible. L'hémicycle s'était rempli pour l'écouter, il n'y eut pas une interruption, pas un bruit. Comment ne pas être troublé, captivé, ému par l'image que donnait du courage politique cet homme au patriotisme rugueux...

Mendès France disposait d'un atout particulier que je n'ai connu à personne d'autre : la crédibilité. Ce qu'il disait, paraissait à l'évidence juste. Vrai. On ne pouvait qu'y croire. On le croyait.

Il intervenait rarement, une fois, deux fois par an. Son discours, ce jour-là, devait faire date. Applaudi, félicité, même par ses adversaires qui murmuraient furtivement : « Bravo! », il vint ensuite dîner avec nous dans un restaurant du Palais-Royal.

Jean-Jacques nous quitta rapidement; il prenait un train pour Megève. Je restai seule avec Mendès France, impressionnée, consciente de mon insignifiance.

Mais il était gentil, surtout avec les femmes. Avec les hommes, il pouvait être dur, railleur. Je l'ai vu un jour écraser Gaston Defferre qui se taisait, héroïque, car ce n'était pas son genre de se laisser flageller. Mais il s'agissait de Mendès, qu'il admirait.

Nous avons parlé longtemps, dans ce restaurant qui, peu à peu, se vidait. Il aimait parler.

Il s'était amusé d'une double page de *Elle* où nous avions reproduit les photos des « Dix Hommes les plus beaux de France », pour nous moquer de ces concours où apparaissaient toujours les dix femmes les plus ceci, les plus cela. François Mitterrand figurait dans le lot aux côtés de Gérard Philipe, Maurice Druon et quelques autres.

– Comment les avez-vous choisis? demanda Mendès France.

Je dis que nous avions réuni trois cents photos et que nous avions procédé par élimination en les comparant deux par deux.

– Mais c'est fantaisiste, ce système!

– Pas du tout. C'est scientifique.

J'eus de la peine à le lui faire admettre. Je crois d'ailleurs qu'il ne l'a jamais admis. Il était incroyablement têtu.

À mon tour, je lui ai posé des questions, beaucoup de questions. Son discours avait déclenché dans mon esprit une foule d'interrogations.

Il m'a répondu longuement, précisément. Il disait toujours qu'il avait raté sa vie, qu'il aurait dû être professeur. Ce soir-là, j'ai eu droit à une leçon particulière sur les investissements productifs et les charges improductives. Ce fut la première d'une série qui allait se poursuivre à travers le temps.

Pendant quelques années, j'ai vu Pierre Mendès France plusieurs fois par semaine, dans les circonstances les plus diverses, j'ai travaillé avec lui dans le cadre de *L'Express*, j'ai vécu avec lui toutes sortes de péripéties. « ... Nous avons partagé de semaine en semaine tant de sentiments, d'espoirs et de colères.... », m'écrivait-il dans une petite lettre amicale à l'occasion du dixième anniversaire de *L'Express*.

Que m'a-t-il transmis, pendant tout ce temps-là, dont je porte encore la marque? C'est indéfinissable. Il m'a rompue, certainement, à l'exercice de l'analyse politique à quoi rien ne m'avait préparée. Mais il m'a bien fallu deux ans pour oser avancer une proposition, un argument, dans l'une de ces réunions en petit comité où se débattaient, avec Mendès France, les positions de *L'Express*.

Il a nourri ma confiance naturelle dans le génie de l'Homme. Lui que l'on prétendait pessimiste, professait une foi sans faille dans le progrès. Un jour, j'ai dit devant lui : « Le progrès est peut-être une façon de changer de malheur... »; je me suis fait rabrouer.

Plus important : l'enseignement que Mendès France donnait par l'exemple. Valeur cardinale : le courage sous tous ses aspects. Courage moral, intellectuel, physique, politique, bien sûr. Le courage n'exclut pas qu'on se trompe, qu'on fasse de mauvais choix ou que l'on soit mal récompensé. Mais c'est toujours le parti à prendre.

Ah, il n'était pas maître à fournir un vademecum pour homme de cour ou ambitieux vulgaire!

Pas plus que d'autres, je n'ai toujours été à la hauteur de cette exigence. Au moins ai-je essayé.

Mendès France était, lui, un grand caractère. Et il rayonnait d'une lumière qui effaçait le teint blême, le nez cassé dans une bagarre d'étudiants, les pointes de col rebiquantes – où diable achetait-il ses chemises? Impossible de lui en faire changer – , lumière de l'intelligence, bien sûr, mais aussi de la sensibilité.

Dans les relations personnelles, il pouvait être difficile, d'une mauvaise foi grandiose, ingrat, réservant à ses fidèles sa tyrannie, ses sarcasmes, ses griefs et une remise en question permanente de leur loyauté.

Tous les politiques ont l'obsession de la loyauté, tant la félonie est la règle du milieu. Tous préfèrent un brave homme dont ils peuvent être sûrs à un esprit brillant mais critique, donc capable de « trahir. »

La moindre réserve sur son action fournissait à Mendès France un échafaudage d'hypothèses sur les raisons pour lesquelles « il ne m'aime pas, je vous assure, il ne m'aime pas ». « Il » se serait jeté au feu pour lui? « Tout ça est bien joli, disait Mendès

France, mais souvenez-vous que déjà, en 1947... » Défilait l'énumération des crimes de lèse-Mendès France commis par le malheureux, et retenus pour pouvoir dire, faussement sincère : « On ne m'aime pas... Vous voyez bien qu'on ne m'aime pas. »

En vérité, supérieur sans superbe, sensible à la moindre marque d'affection, attentif aux autres, il a suscité une somme rare de dévouements et même de ferveur, alors qu'il ne les sollicitait jamais.

Il acceptait volontiers la discussion avec tout le monde, et même il s'y plaisait, tant il aimait convaincre. Mais jamais il ne cédait d'un pouce. Quelquefois, je lui disais, épuisée : « Je vous écrirai. Par écrit, je suis meilleure que vous. » Mais on ne discute pas par écrit.

Ainsi sur l'Europe, lors du fameux débat sur la Communauté Européenne de Défense en 1954. Énorme affaire qui empoisonnait la vie politique de la France depuis trois ans. Jean Monnet, Robert Schuman et René Pleven avaient inventé la C.E.D. en vue de noyer le réarmement de l'Allemagne dans un ensemble intégré. Le traité avait été signé par les six pays intéressés – France, R.F.A., Italie, Belgique, Pays-Bas, Luxembourg – mais les parlements français et italien ne l'avaient pas encore ratifié. En fait, entre l'opposition des communistes et celle des gaullistes coalisés, une fois de plus, en la circonstance, il n'y avait pas de majorité, à l'Assemblée nationale, pour la C.E.D.

Mais Mendès France s'était engagé à faire venir le débat. Or, il se passa quelque chose d'extraordinaire : sur cette affaire si sensible, si importante, Mendès France n'avait pas d'opinion. Lui qui tenait sa force de son ardente conviction, on le voyait hésitant, dubitatif.

Cette attitude me paraissait la plus mauvaise possible. Européenne convaincue, je le lui dis alors que, Président du Conseil, il avait autre chose à faire qu'à m'écouter. Dans son entourage immédiat, il y avait une autre « européenne », Léone Georges-Picot, dont il appréciait le jugement. Elle n'eut pas plus de succès. La C.E.D. fut enterrée sans gloire, sans que Mendès France engage la responsabilité de son gouvernement, au cours d'une séance piteuse.

Trente ans plus tard, nous parlions de tout autre chose lorsqu'il me dit un jour, l'œil moqueur : « Vous auriez dû insister, Léone et vous... » Insister! Pauvres de nous. Je n'ai jamais su la part de regret et de taquinerie que cette petite phrase contenait.

Non, on ne discutait pas avec Mendès France. Pas moi, en tout cas. Mais, fidèle à son enseignement en somme, je ne me suis jamais découragée de lui dire, fût-ce par écrit, ce que je croyais.

En mai 58, quand une opération d'intoxication a fait croire que les parachutistes allaient arriver d'Algérie pour sauter sur Paris, on a pu penser que Mendès France était en danger. Je l'ai persuadé sans trop de peine de se cacher pendant quelques jours chez l'un de mes amis.

Il est monté dans ma voiture, et le cauchemar a commencé. Il fallait traverser Paris embouteillé, nous allions au pas, et sur le trajet les gens le reconnaissaient. Dans le climat qui régnait, je craignais qu'on l'insulte ou qu'on cherche à le molester. Il aurait pu se baisser un peu, déployer un journal. Non. Impassible, il tournait la tête à droite, à gauche, comme pour être sûr d'être bien vu.

En 1955, alors qu'une véritable meute était déchaînée contre lui, un homme était venu me trouver chez moi pour me dire : « On m'a proposé deux millions pour descendre Mendès. J'ai déjà tué du bougnoule, mais jamais un Français. Ça m'ennuierait de commencer... Prévenez-le. »

J'ai transmis. Mendès France a consenti à prendre quelques précautions.

Quelques jours plus tard, l'homme a reparu et m'a demandé de l'argent pour se tenir tranquille. J'ai transmis. Mendès France a dit : « Non. Le chantage, jamais. On ne cède jamais. » Je lui ai fait valoir que ce n'était pas vraiment du chantage, plutôt un pourboire que mon bonhomme demandait. Il l'a admis. J'ai retrouvé ledit bonhomme dans une station de métro où nous avions rendez-vous, il a eu son argent, il a disparu.

Peu après, il y a eu deux tentatives d'assassinat contre Mendès France, dont l'une a fait beaucoup de victimes.

Une sœur de Jean-Jacques, Brigitte Gros, imagina de lui faire porter un gilet pare-balles. Elle l'acheta, le lui apporta. Il regarda cet objet singulier, le tourna, le retourna. Et le jeta.

Des leçons politiques de Mendès France, si nombreuses, j'ai retenu un sujet de méditation morose. Il avait l'intime certitude qu'il faut toujours dire la vérité au peuple, toute la vérité, et qu'à ce prix, les esprits s'ouvrent, les énergies se mobilisent, le pays vous soutient.

Vous soutient-il? Une fois au pouvoir, oui. Mais a-t-on jamais vu quelqu'un y parvenir en disant le vrai? Pour ne citer que lui, de Gaulle est-il revenu au pouvoir en disant : « Je vais accorder l'indépendance à l'Algérie »? Il n'en avait peut-être pas encore le projet, soit.

Ces propos sont amers, je le sais. J'aimerais qu'ils soient faux, je l'espère. Mais j'entends encore Mendès France maugréer, en 1981, parce qu'« on » avait promis des choses impossibles. Certes. Mais « on » était élu. L'est-on en promettant de la sueur et des larmes?

Mendès France était un homme d'État, assurément. Mais l'homme d'État a besoin de coïncider avec l'Histoire. Et elle fut si brève, la période où ils se sont rencontrés, qu'aucun enseignement ne peut en être tiré, me semble-t-il, à supposer que l'Histoire en fournisse jamais.

L'étrange, c'est cette longue trace qu'il a laissée, comme un sillon de courage et de vertu. Personne n'a davantage porté l'espoir d'une génération. Mais le « système », comme disait de Gaulle parlant de la IVe République, a eu raison de lui.

Quant à la Ve, il n'eût tenu qu'à lui de servir encore une fois sous de Gaulle. Mais, la première fois, il s'agissait du chef de la France libre. Cette fois, il s'agissait d'un général revenant au pouvoir sous la menace d'un coup de force militaire. Inacceptable dans son principe même.

Mendès France admirait de Gaulle. En mars 58, il s'interrogeait seulement sur le moment et les conditions de son retour au pouvoir. Le lendemain du 13 mai, au cours d'un déjeuner chez lui auquel assistaient François Mauriac et Lucien Rachet, fidèle du Général, il disait : « Il faut que de Gaulle condamne les gens d'Alger! » Et Rachet était parti avant la fin du déjeuner pour obtenir de De Gaulle une déclaration en ce sens.

On sait ce qu'il en fut, et comment les gaullistes lancèrent la rumeur d'un débarquement de parachutistes.

Dès lors, Mendès France fut intraitable et ne cessa de répéter : « Ça finira par Sedan! »

On connaît la triste fin de Prévost Paradol, ce journaliste du siècle dernier qui fut pendant dix-huit ans l'obstiné opposant à Napoléon III. Puis, désespérant de le voir partir, lassé, il accepta de l'empereur une ambassade à Washington. C'était en 1870.

Quand Prévost Paradol apprit que la guerre était déclarée, il se suicida. Mendès France adorait rappeler cette histoire, et s'y employait. Ce ne fut pas Sedan, ce fut mai 68.

Plus tard, des accidents de santé l'ont retiré de la lutte politique. La seule trace visible en était une canne dont il se servait pour marcher. Le poil toujours noir, il était devenu serein, gracieux, indulgent aux uns et aux autres, même à moi à qui il pardonnait mal, cependant, d'avoir été ministre de Giscard. « Mais qu'est-ce qui vous a pris ! Qu'est-ce qui vous a pris ! » me disait-il.

Le soir de la première élection de François Mitterrand, en 1981, il était, avec sa femme, chez Georges Kiejmann. C'était fête. Mendès France semblait ému.

Il n'a jamais aimé François Mitterrand – trop de talent ! – qui le lui rendait bien – trop de prestige ! Mais il admirait ce talent. Et puis, ce soir-là, leur rivalité était évanouie. L'un triomphait, mais l'autre était délibérément sorti du jeu. Il n'y avait plus qu'une victoire dont il était heureux, infiniment.

Quelqu'un l'interrogea sur la suite. Il dit doucement, avec sa petite lumière dans l'œil : « Ça va tanguer... » Et il y eut soudain quelque chose de profondément mélancolique dans le spectacle de ce grand capitaine sans vaisseau.

Il est mort, quelques mois plus tard, d'un coup, en téléphonant, sans avoir pris part si peu que ce soit aux décisions de François Mitterrand ni de son gouvernement, sans avoir émis ni critiques ni conseils.

On ne les lui avait pas demandés.

Je l'ai aimé, il m'a aimée, moi plus que lui peut-être, mais lui autant qu'il en était capable, sûrement, que dire d'autre qui ne soit indiscret? Règle n° 1 de la bonne éducation : on ne raconte pas sa vie privée. D'ailleurs, ce serait un autre livre. Celui-ci ne nécessite que quelques indications pour situer mes relations avec un homme, Jean-Jacques Servan-Schreiber, qui m'a, d'une certaine manière, inventée.

Notre prise de contact a été rugueuse. Je l'ai rencontré un soir de 1951 chez l'éditeur René Julliard où je passais, après dîner. Il me semble que Maurice Schumann était là. Nous avons bavardé un instant. Ce jeune homme provocant m'a plu immédiatement.

Nous sommes partis en même temps. Il est monté dans sa voiture, moi dans la mienne. Nous avons roulé sur le boulevard Saint-Germain et soudain, pour me dépasser, il a pris le boulevard à contresens. Il a filé. Ma voiture était plus puissante que la sienne, je l'ai rattrapé sur les quais de la Seine, je lui ai fait une queue de poisson pour l'obliger à stopper, j'ai crié : « Vous jouez à quoi exactement? » Et je suis repartie, le laissant loin derrière.

Mais, dans cet ordre d'idées, il était capable de tout. Il avait déjà cassé un avion en atterrissant dans le jardin de ses parents; une interdiction de vol l'avait sanctionné. C'était une boule d'énergie en fusion. Plus prosaïquement, il sécrétait sans doute plus d'adrénaline qu'il n'est courant.

Ces enfantillages mis à part, Jean-Jacques Servan-Schreiber – disons J.J.S.S., c'est plus court – était un chef de guerre. Organisation, stratégie, tactique, bravoure, vigilance aux manœuvres de l'ennemi, sens du commandement, don d'entraîner ses troupes à l'assaut, ce sont inévitablement des métaphores guerrières qu'il inspire tant sa vie est exclusivement combat, de l'aube à la nuit.

Combat pour hisser Mendès France au pouvoir – *L'Express* a été créé dans ce seul but – , combat contre la guerre d'Algérie, combat pour conquérir le parti radical, combat pour la décentralisation, combat pour enlever une circonscription réputée imprenable, combat pour que coagule le mouvement réformateur, combat pour faire gagner à Valéry Giscard d'Estaing les élections législatives de 1978... Ainsi a-t-il inventé l'U.D.F., et pas seulement le sigle. Combat contre Concorde, folie somptuaire, combat contre les essais nucléaires dans le Pacifique, combat pour imposer l'informatique... Quoi encore? J'en oublie sûrement.

J.J.S.S. n'est pas un homme politique au sens traditionnel du terme, ce n'est pas non plus un journaliste, bien que l'écriture soit le plus souvent l'arme de son combat et que certains de ses livres aient atteint une diffusion fabuleuse. C'est un agitateur.

Il a quelque chose d'explosif, une capacité de déflagration. Souvent, je lui ai dit qu'il aurait été capable de mettre le bordel dans l'Église ou le Parti communiste s'il y était entré. Sa fougue pouvait avoir un caractère dévastateur.

Mendès France disait de lui : « Il est incontrôlable. » Giscard : « Il a une case en trop. »

Le déroulement déconcertant de sa carrière traduit sa contradiction : il conjugue un tempérament et parfois des méthodes d'extrémiste avec des idées modérées. Il veut ordonner l'Histoire par la réforme, non par la révolution, et croit à la toute-puissance de la volonté sur le cours des choses. Mais c'est un homme pressé, talonné par l'urgence. Il a toujours ignoré que le temps ne pardonne pas ce qu'on fait sans lui, que la maturation des idées est lente comme celle des plantes, et qu'en règle générale, les hommes souffrent quand on les bouscule. Il ne veut pas savoir que ses contemporains ont un passé et qu'ils y sont attachés, des biens et qu'ils y tiennent, une histoire et qu'ils y sont enracinés. Le passé n'a pas d'existence pour lui. Il le nie. Il l'abolit.

En revanche, il a une vision fulgurante de l'avenir, un sens réellement prophétique, et brûle d'impatience à voir les maîtres du monde y entrer à reculons.

Lui ne pose jamais son sac. Agir est sa forme d'affirmation de soi. Il se sent responsable des affaires de la planète au même titre que n'importe quel chef d'État, et capable, ici et là, d'en infléchir le cours. Il a entretenu et entretient d'ailleurs avec les dirigeants des rapports qu'il juge d'égal à égal. Certains le consultent volontiers.

Pour faire triompher ses vues, il a une idée par jour – son cheval de bataille étant depuis dix ans la formation, ce qu'il appelle la « ressource humaine » – et ne débraye jamais, comme s'il dépendait de sa vigilance que l'Europe ne perde pas cette bataille-là. Et singulièrement la France...

Aujourd'hui, il circule beaucoup entre une université américaine, pionnière en matière d'intelligence artificielle, et l'Asie, obsédé qu'il est par la surpuissance du Japon et le dynamisme du Sud-Est asiatique. J'ignore quels sont ses leviers d'action sur les choses, s'il en a, hormis la conviction de missionnaire qui l'habite.

François Mauriac lui disait : « Vous êtes un soldat de Dieu! » Il avait, il est vrai, un faible pour lui. Mais qui n'a pas eu un faible pour Jean-Jacques, quitte à lui en vouloir, ensuite, d'avoir cédé à sa séduction? Les hommes, surtout, se le reprochaient comme s'ils avaient succombé à quelque sorcellerie. Les femmes lui ont toujours été plus favorables, en tout cas plus indulgentes.

Quand je l'ai connu, il n'avait pas trente ans, il était ardent et gai, d'une extrême délicatesse de sentiments et de manières dès lors qu'il vous portait intérêt, et il ne s'interdisait pas encore toutes les douceurs de la vie.

Il se distinguait par une façon particulière d'éclairer l'Autre sous sa face noble, de mettre en lumière ses richesses, son meilleur côté. Du coup, on se trouvait, devant lui, porté à son meilleur.

Un autre homme produisait cet effet, André Malraux, avec lequel il avait d'ailleurs des points communs, le sens du théâtre, de l'exploit, un certain rapport à l'Histoire. Devant Malraux, on se sentait grand, patricien et tellement intelligent!

Ce rayonnement est dangereux. Quand il se détourne de vous comme le pinceau d'un phare changeant sa trajectoire, on se sent éteint, rabougri, ramené à une réalité étriquée. Et on sécrète du fiel à l'égard de celui qui vous a retiré sa lumière.

Beaucoup de ceux qui ont participé aux diverses entreprises de Jean-Jacques ne lui ont jamais pardonné ce qu'il leur avait, un temps, donné. Et plus il a donné, avec une générosité concrète remarquable, moins ils lui ont pardonné.

Il faut dire qu'il était tuant, entraînant dans son système tous ceux qui gravitaient autour de lui et qui se débattaient pour essayer de sauver leur vie personnelle au lieu de se sentir pris en permanence dans une cordée à l'assaut de l'Annapūrnā, le premier de cordée annonçant avec simplicité : « Chacun pour moi. »

Un peu plus jeune que moi, il réunissait plusieurs des traits que je prêtais à mon père. C'était le même profil. Je ne pouvais pas y couper. Il fallait que cela m'arrive une fois.

C'est un lien quasiment indestructible qui s'est noué entre nous, lien dont la nature a changé au cours des années, mais dont la pérennité nous a permis d'assurer ensemble la direction de *L'Express* pendant plus de vingt ans, lui avec de longues éclipses pendant lesquelles j'ai gardé la maison.

Nous y serions encore si, un jour de 1977, il n'avait eu l'idée saugrenue de vendre *L'Express* à prix d'or pendant que j'avais le dos tourné, c'est-à-dire pendant que je faisais le ministre sous Raymond Barre. Je ne peux donc même pas lui en vouloir.

D'ailleurs, je ne lui en veux plus. Et même, je pense que ce fut une chance d'échapper à ce qui devenait une routine et à quoi je ne prenais plus de plaisir. Toujours l'ennui qui suinte des institutions. Ce fut une chance d'avoir à réinventer d'un coup une autre vie professionnelle. Ou on coule ou on rajeunit. Mais c'est une autre histoire.

En 1952, c'était une drôle d'idée de la part de J.J.S.S. d'aller chercher à *Elle* la codirectrice d'un hebdomadaire politique. Mais, en fait, c'était bien vu. J'avais l'expérience qui lui manquait encore, celle de la conception et de la fabrication d'un journal.

Sur le fond, il avait vérifié, après le fameux discours de Mendès France, que nous étions sur la même longueur d'ondes.

Spécialiste de politique étrangère, il connaissait mal les méandres de la politique intérieure : Pierre Viansson-Ponté vint nous rejoindre. Dans l'équipe qui sortit le premier numéro de *L'Express*, en mai 1953, il n'y avait pas dix personnes. Quand je l'ai quitté, en 1974, il y en avait, tous services compris, plus de quatre cents.

Je ne sais pas ce que *L'Express* me doit. Ou, plus exactement, ce qu'il aurait été sans moi. Mais je sais ce que je lui dois. Ou plutôt ce que je dois très directement à Jean-Jacques. Jamais une femme n'avait, jusque-là, dirigé ou codirigé un journal qui ne fût féminin. Davantage : il n'y avait même pas de femmes chefs de service dans les grands journaux. D'ailleurs, il n'y en avait pas du tout ni à la rédaction du *Figaro* ni à celle du *Monde*. Quelques-unes travaillaient à *France-Soir*, mais jamais en position d'avoir à diriger, fût-ce trois personnes. De Pierre Lazareff, on disait : « Quand il aime une femme, il lui fait un journal. » Certes, mais un journal féminin. Hubert Beuve-Méry, le patron du *Monde*, ne voulait pas voir le bout d'un jupon dans ses couloirs.

Aujourd'hui, les rédactions se sont largement féminisées. Il y a des femmes chefs de service dans tous les secteurs, mais, au niveau de la direction, sauf dans le cas où le capital est entre leurs mains, elles restent cantonnées dans le magazine féminin.

On voit donc ce qu'il fallait d'audace pour me projeter à la tête de *L'Express*. L'audace, Jean-Jacques n'en a jamais manqué, il est vrai. Mais le mot ici est impropre, dans la mesure où lui-même n'a pas eu l'impression de prendre un risque. Simplement, il avait, il a fondamentalement confiance dans les capacités des femmes. À cette époque-là, c'était un cas. Et même aujourd'hui...

C'est lui qui a posé les termes de notre collaboration en me demandant de prendre sur moi le plus que je pouvais. La responsabilité du journal, nous l'avons en fait si intimement partagée, tout au long de son développement, que personne ne pourrait dire ce que chacun lui a apporté. Le sûr est que l'un de nous deux, privé de l'autre, ne l'aurait pas réussi.

Indépendamment de ce qu'on appelle le talent, ce qui passe entre les pages et les lignes d'un journal est très mystérieux. C'est une énergie. La somme des énergies mobilisées pour le réaliser, y compris celle du plus modeste rédacteur. Il faut que tout le monde « en veuille », comme on dit, et que chacun se défonce à chaque numéro comme s'il écrivait l'article le plus important de sa vie. Alors le journal vibre de cette énergie et, inconsciemment, le lecteur la ressent. Sinon, on fabrique des feuilles molles, même si elles sont honnêtement faites.

L'Express irradiait l'énergie lorsque le ministre de la Défense nationale, Maurice Bourgès-Maunoury, s'avisa de rappeler Jean-Jacques en Algérie. Nous étions en pleine bataille contre la torture pratiquée là-bas, dont plusieurs cas avaient été signalés. Bourgès-Maunoury nous avait traités, avec quelques autres, d'« exhibitionnistes du cœur et de l'intelligence ». Pour museler le journal, il avait trouvé ce moyen expéditif : mobiliser son directeur.

Furieux, Mendès France somma Bourgès-Maunoury de rapporter l'ordre de mobilisation. Bourgès obtempéra. Jean-Jacques refusa évidemment cette « faveur ». Bref, il disparut dans les Aurès.

Et je me dis : me voilà bien.

Il y avait alors, il y a toujours eu d'excellents

journalistes à *L'Express*. Jean-Jacques aurait pu désigner l'un ou l'autre pour le remplacer dans sa fonction proprement politique. Au lieu de quoi, il me dit avant de partir : « Allez-y... Et n'ayez pas peur. »

Alors j'y suis allée.

Aurait-il eu la même attitude avec une femme moins liée à lui? Je le crois. Et même, j'en suis sûre. En tout cas, quand je me suis retrouvée avec ma petite troupe, brillante équipe au demeurant, François Mauriac en tête, dans une conjoncture turbulente, j'ai ressenti le plus ancien de ma vieille obsession : il fallait être aussi bonne qu'un garçon.

Ces hommes qui m'entouraient, auraient-ils été aussi coopératifs s'ils avaient pensé que j'étais assise sur un siège éjectable? Je ne sais. Mais le fait est qu'ils l'ont été.

J'avais une faille, cependant, du côté de la politique. Je cultivais avec elle les rapports que l'on entretient avec une langue étrangère quand on la comprend et qu'on ne se décide pas à la parler. Mais les événements se bousculaient. En quelques semaines, Nasser nationalisa le canal de Suez, les chars soviétiques entrèrent à Budapest – ce fut Sartre, ému tout de même, qui en traita dans le journal – , l'expédition franco-britannique sur Suez fut déclenchée...

Alors, après avoir pris des avis, j'ai saisi ma petite machine à écrire et j'ai tapé trois feuillets. Signés *L'Express*. J'avais sauté le pas.

Cela ne se serait peut-être jamais produit si Jean-Jacques ne s'était pas volatilisé en me disant : « N'ayez pas peur... » Peut-être serais-je restée toute ma vie en retrait, laissant le journalisme politique, le « domaine noble », aux hommes.

Au lieu de quoi, cette expérience m'encouragea à pousser plus tard dans la voie du journalisme politique des jeunes femmes qui en avaient le goût et à les soutenir pour qu'elles y excellent. Il y a toujours eu beaucoup de femmes, à la rédaction de *L'Express*, dans tous les secteurs. J'y veillais. Jean-Jacques n'y faisait pas obstacle, bien au contraire. Parmi celles que j'ai vu débuter, se battre avec les mots, décomposées les soirs de bouclage parce qu'elles ne s'en sortaient pas de leurs cent lignes, plusieurs ont fait de belles carrières. Et quand je regarde ce qu'il est advenu des hommes, j'ai l'impression d'avoir été l'entraîneur d'une écurie de « cracks ».

J'ai passionnément aimé communiquer ce que je savais de mon métier. En journalisme, comme en amour, les progrès sont lents. Observer les premiers progrès, voir une écriture se faire peu à peu, un talent se construire, atteindre la maîtrise, c'est un bonheur. Un bonheur d'artisan qui transmet ses secrets.

L'ennui, avec les névroses, c'est qu'aucune réassurance ne dure longtemps. Je m'étais affirmée digne d'être un garçon, mais j'en fus à peine apaisée pendant quelques mois.

Jean-Jacques une fois de retour, et publiant *Lieutenant en Algérie*, récit très malraucien de son expérience, il fut plus que jamais évident que le garçon, c'était lui. Je ne pouvais pas aller faire la guerre, n'est-ce pas?

D'ailleurs, le problème ne se posait pas de la sorte. Je ne voulais pas être un garçon, pas du tout; je me sentais coupable de ne pas l'être, j'avais inlassablement à me faire pardonner.

Cette sorte de folie a été l'un des puissants carburants dont *L'Express* s'est nourri. Je travaillais dix heures par jour, jusqu'à deux ou trois heures du matin, les jours de bouclage. Les toutes premières années, et au moment du changement de formule, il m'est arrivé de réécrire quasiment tout un numéro pour que le journal ait exactement le ton que nous voulions lui donner, rapidité, concision, mise en scène. C'était pure folie. Mais, sur ce terrain, je me sentais forte.

Cette faculté que j'avais de réécrire clairement et brièvement ce qui était confus et long m'a ouvert les portes d'une discipline grisante : l'économie.

L'Express avait été fondé en 1953, je l'ai dit, pour porter les idées de Mendès France au pouvoir. La guerre d'Algérie n'avait pas encore commencé. Or, le fond de la pensée de Mendès France était d'ordre économique. C'est à partir de la nécessité du redressement économique de la France qu'il embrayait sur la politique étrangère et l'arrêt des opérations militaires en Indochine.

L'économie était alors une science – bien que je mette en doute son caractère scientifique – , une discipline complètement ignorée des Français. De tous les Français, y compris les plus éminents. Un homme politique de bonne culture, comme François

Mitterrand, n'en avait pas la moindre idée. Il n'a pas fait de sérieux progrès depuis, d'ailleurs. Un bachelier n'avait reçu aucune teinture, même superficielle, d'économie. Des notions qui sont devenues familières aujourd'hui, en partie grâce à la télévision – compétitivité, productivité, investissements, déficit de la balance extérieure, inflation, taux d'intérêt, etc. – étaient inconnues, sauf des spécialistes. Un journal comme *Le Monde* n'avait pas de section économique.

Parler très largement d'économie dans *L'Express* nous apparut donc comme un impératif absolu. Mais en parler comment? Par quel moyen la rendre comestible?

Là intervint Simon Nora, qui fut mon professeur. C'était un inspecteur des Finances très beau – il l'est encore – , secrétaire général de la commission des Comptes de la Nation, purement stendhalien. Il faisait partie de ces jeunes hommes, nombreux dans l'Administration, dont Mendès France avait saisi l'imagination. Lié avec Jean-Jacques, il avait drainé vers *L'Express* nombre de ses collègues qui ne demandaient qu'à mettre leur savoir au service de notre entreprise – c'est-à-dire de Mendès France.

Malheureusement, ces brillants esprits avaient un langage inintelligible. Il s'agissait pourtant de la vie même du pays. Quantité de sujets s'imposaient, mais comment les traiter?

Je dis : « Expliquez-moi. Une fois que j'aurai compris, je pourrai peut-être faire comprendre. »

Ce ne fut pas de la tarte, si j'ose cette expression. Simon m'expliquait. C'était dur. J'écrivais. Il y avait beaucoup d'erreurs, de contresens. Il corrigeait. Je recommençais. On conçoit qu'après quelques mois de ce traitement, j'ai eu acquis une solide éducation économique de base. C'est Kierkegaard, je crois, qui dit : si vous voulez vous assurer que quelqu'un a compris ce qu'il dit, demandez-lui de le formuler d'une autre façon.

Reformuler nettoie le jargon, dénude le sens.

Nous en sommes arrivés à faire, avec de l'économie, des bandes dessinées. Là, c'est Alfred Sauvy qui fournissait la matière. Il trouvait cet exercice salutaire. Cela porte un vilain nom : vulgarisation, mais c'est une belle tâche à quoi s'appliquer.

Avec Simon Nora et sa bande, j'ai découvert un milieu que j'ignorais, celui des serviteurs de l'État. Tirant le diable par la queue mais dignes, ô combien, un peu raides même, dévoués au bien public, réfractaires aux manières des journalistes toujours prêts à simplifier ce qui doit rester complexe, s'y pliant en soupirant, épatants.

Simon Nora était encore marxiste, inclination de jeunesse dont il est revenu. Effervescent intellectuellement, il achevait presque toujours ses développements par une note de dérision, un accent d'humour noir. Comme pour rappeler que la politique, l'économie, tout ça c'était bien joli, comme disait Mendès France, mais ça ne rendait compte ni de la vie, ni de l'amour, ni de la mort, bref, de rien d'important. Alors Jean-Jacques le regardait, attristé : il était imperméable, lui, à l'humour comme à la dérision. Personne n'avait davantage l'esprit de sérieux.

Comme Mendès France occupait une place considérable dans nos conversations, Simon Nora avait inventé de lui donner un sobriquet, Augustin, pour que nous puissions en parler entre nous librement, au restaurant par exemple. Pourquoi Augustin? Par référence au titre d'un livre, *Augustin*, ou *Le maître est là*.

Pendant plusieurs années, Simon Nora est resté très proche de *L'Express*. Il avait épousé Léone Georges-Picot qui travaillait au journal. Nous passions ensemble nos soirées, parfois le week-end dans quelque campagne... C'est en parlant avec les Nora que s'est mise en place l'idée du fameux sondage sur la jeunesse intitulé. « La Nouvelle Vague », le premier grand sondage publié dans la presse, en 1955. On sait la fortune qu'a connue cette expression.

Un soir de 1955 ou 1956, la cour d'Angleterre annonça que le mariage entre la princesse Margaret et Townsend, le roturier divorcé, n'aurait pas lieu. Simon Nora en fut désolé. Désolé! Au point qu'il se proposa pour écrire vingt lignes sur le sujet, lui qui n'écrivait guère. Je l'aimais aussi pour ça : parce qu'avec l'originalité de son esprit, l'ampleur de son savoir, la richesse de son imagination, il était capable de s'attendrir sur Margaret.

Hors les doux plaisirs de l'amitié que nous avons partagés, je n'ai jamais eu de professeur plus patient à propos d'une matière plus ingrate. Depuis, l'économie est devenue mon vice. Certains éléments m'échappent, je ne suis pas vraiment calée, mais c'est une dimension du monde, non la moindre, que je parviens à appréhender. Elle est mouvante, et je me tiens au courant.

Quelquefois, devant un article trapu, compact, je me dis : « Arrête un peu, ma vieille, arrête ton cinéma, ce que tu dois apprendre maintenant, ce n'est pas le taux de l'épargne au Japon, c'est à vieillir sans pousser des rugissements de rage devant ta décrépitude! »

Je jette le journal. Et puis je le reprends.

Outre les économistes, le rayonnement de Pierre Mendès France avait attiré dans les colonnes de *L'Express* une cohorte d'intellectuels.

François Mauriac fut le premier, alors que le journal était à peine né. Les lecteurs du *Figaro* ne supportaient plus sa chronique hebdomadaire depuis qu'il y dénonçait la situation au Maroc. Lui ne supportait plus ses lecteurs – ou cette lectrice qui le sermonnait en signant : « Comtesse de X, catholique cent pour cent. » C'est ainsi qu'il changea de paroisse, tout en poursuivant une collaboration au *Figaro Littéraire* par égards pour Pierre Brisson.

Quand il mit pour la première fois le pied dans les modestes locaux de *L'Express*, il dit : « Je viens voir ma jeune maîtresse... » Et il s'esclaffa avec cette façon qu'il avait de porter la main à sa bouche après chaque saillie. D'un mot, comme toujours, il avait cliché la situation. Et quoi de plus roboratif qu'une jeune maîtresse pour un vieil écrivain au faîte des honneurs?

« Je ne suis pas fait pour l'insuccès », disait-il. Il fut comblé par le succès avec le fameux *Bloc-Notes*, chef-d'œuvre inclassable où il passait en dix lignes du cri au murmure, de la colère au soupir, de l'actualité à l'éternel, du chuchotement à l'interpellation.

Le journaliste professionnel doit, autant qu'il le

peut, s'effacer derrière son sujet. Mauriac avait trouvé, lui, comment on peut le mieux parler des autres : à travers soi. Tout est dans le prisme. Non seulement il ne s'effaçait pas, mais, ne laissant à personne le soin de découvrir qu'il était son sujet de prédilection, il ne cessait de le répéter. « Mort, la seule de mes aventures que je ne commenterai pas... »

Mauriac était, et demeure, inimitable parce qu'il ne fabriquait pas. Les manuscrits de ses *Bloc-Notes* en témoignent : les ratures y sont rares, le trait jaillit sans retouches; le mouvement du texte, son élan, sa tension y sont immédiatement en place. Il n'usait des ficelles du métier que dans les rares circonstances où, l'excitation d'esprit lui faisant défaut, il devait néanmoins remettre sa copie à l'heure dite. C'est alors que surgissaient Malagar, la lande brûlée, les pivoines et les cigales dans une nouvelle variation sur un thème éprouvé.

Il était admirable, ce vieux monsieur distingué à la voix blessée, couvert de haines depuis qu'en fait de chapelet il égrenait celui de la décolonisation. « Je n'avais pas d'ennemis quand les autres m'étaient indifférents », disait-il. Peut-on mieux dire?

Il n'aimait pas les femmes, surtout celles des hommes qu'il aimait. Quelque chose le dérangeait chez ces créatures, jusqu'à ce qu'elles aient atteint l'âge où l'on n'a plus de sexe. Et même... Un soir que nous dînions chez lui avec la veuve de Paul Claudel, il murmura après qu'elle fut partie : « Comme elle a dû être laide! » Les mots terribles lui échappaient, il ne les rattrapait pas et ne les répétait jamais, il en était assez riche pour les dilapider.

Donc, toute sa dévotion allait à Jean-Jacques. Nous avions cependant établi de bonnes relations après un 15 août où je l'avais ramené de Megève à Paris. Il devait rentrer avec un autre conducteur. Et puis voilà que, de bon matin, je le trouve assis, sagement, dans ma voiture, une petite américaine décapotée. Je m'étonne. Il me répond : « Je suis comme les chats. Je choisis mon panier. » Merci pour le panier. Il sent que je n'apprécie pas autrement. Et nous partons.

La route, quand on la fait ensemble, crée une intimité. En quelques heures de voyage et un déjeuner en tête à tête, on se dit parfois plus de choses qu'en plusieurs années. Fut-ce pour se faire pardonner? Pour cette raison ou pour une autre, François Mauriac se mit à parler. De lui, bien sûr, et ce fut émouvant, drôle, mélancolique, inattendu, beau. Un long soupir. Je lui donnais la réplique juste pour le relancer. Il n'était pas loquace, d'habitude, mais le ciel bleu, le toit ouvert, la vitesse, le vin blanc du déjeuner, que sais-je?... Il me dit que les blondes n'existaient pas. « Seules les brunes sont des personnes... » Il me dit qu'il était « le plus fructueux des enfants » de sa femme... Il me dit qu'il avait connu des temps difficiles, quand il avait dû se plier à des travaux plus ou moins alimentaires pour payer les vacances des enfants à La Bourboule; le nom de l'infortunée ville d'eau résonnait comme celui d'un bagne. Il me dit encore beaucoup de choses proches de la confidence, de celles en tout cas que l'on ne répète pas.

Quand je l'ai déposé chez lui, à Paris, il était tout remué par ses propres évocations. Le lendemain, il m'a envoyé un petit bouquet. De ce voyage, il est resté entre nous quelque chose d'impalpable, rien d'important, une petite douceur. Au fond, il ne m'aimait pas.

Dans cette américaine décapotée, je l'ai transporté un jour avec Robert Schuman. Nous sortions d'un déjeuner. Il faisait beau. Je les ai assis derrière, et je suis partie à bonne allure. À un feu rouge, sur les Champs-Élysées, je me suis retournée : ils avaient enfoncé, tous les deux, leur chapeau jusqu'aux oreilles et le tenaient solidement. C'était épatant à voir.

Avec la même voiture, je suis passée un jour d'été voir François Mitterrand qui possédait alors une maison à Hossegor. Il m'a dit : « Allons faire un tour », et nous sommes partis au hasard. Au bout de quelques kilomètres, le frein patine, l'embrayage aussi. La voiture est enlisée, nous sommes sur un marécage indiscernable. Mitterrand descend, je descends, nous essayons de soulever la voiture. Impossible. Ce sont de lointains campeurs alertés par les moulinets de nos bras qui ont fini par nous sortir de là.

Cette petite américaine, j'aurais dû la faire classer monument historique.

Après Mauriac vint Malraux. Il inaugura sa collaboration par un long entretien remis en forme par Pierre Viansson.

J'aimais son personnage, ses livres, sa folie, cette façon d'entrer dans tous les incendies de l'Histoire. Ah, ce n'était pas un intellectuel assis sur son derrière, celui-là !

Avec cette légende de grand aventurier qu'il traînait, il aurait dû être décevant, vu de près. Mais non. Il était étourdissant. On se sentait au sens propre étourdi devant lui, emporté en tournoyant sur les crêtes où il circulait en permanence, où son verbe vous hissait.

Jongleur de mots génial rongé de tics, il avait l'œil de Baudelaire, l'iris cerné par un blanc excessivement haut. Cela lui donnait un regard qui paraissait toujours appuyé ailleurs.

Il s'exprimait en phrases très construites, lyriques, grouillantes de noms qui se catapultaient. Socrate télescopait Stendhal, Nietzsche la *Bhagavad-Gitā*, on croisait dans un même élan Alexandre et la General Motors... Surgissait un éclair de gouaille, un : « J'ai demandé à Gorki si Staline pensait quelque chose du sens de la vie... » une formule à bascule du type : « S'il n'y a pas de culture sans loisirs, il y a des loisirs sans culture », figure de style familière, et hop! on repartait dans le lyrisme jusqu'à ce qu'il boucle par son « Vous le savez aussi bien que moi! » qui laissait l'interlocuteur définitivement envoûté. Épuisant, le verbe de Malraux était inépuisable.

Il n'était pas obscur, puisqu'il donnait l'illusion de le comprendre. C'est après qu'on se demandait : « Mais qu'est-ce qu'il a dit? »

Se frotter à lui était délectable. On en sortait enchanté de soi-même. Je ne l'ai jamais rencontré sans éprouver ce sentiment enivrant, sauf une fois cependant, où il m'a exposé son plan pour en finir avec la tragédie algérienne. C'était extravagant. Il pouvait être extravagant.

La dernière fois que je l'ai vu, c'était peu de temps avant sa mort. J'étais alors à la Culture et j'avais été le voir à Verrières. Deux chats glissaient mollement entre les quelques objets parfaits, posés ici et là. Il me dit :

« Est-ce que vous avez trouvé un truc?...

– Un truc?

– Oui. Pour votre ministère. Moi, j'ai fait blanchir Paris... »

Ce jour-là, nous avons parlé des femmes, sur quoi on l'avait rarement entendu. Les femmes et l'art, et la création, et ce chemin qu'elles étaient en train de creuser dans l'univers des hommes...

Il n'avait jamais réfléchi sur le sujet et ne dit pas de choses très originales. L'amusant, c'était de l'entendre tourner et retourner cette question – les femmes ont-elles quelque chose à dire dans l'ordre de l'art, et quoi? – comme une noix, une noix encore incassable mais qui finirait par être brisée et livrer son fruit.

Il avait conscience de l'ébranlement que la société subissait sous le coup des femmes, mais le retentissement de cet ébranlement sur ce qui l'intéressait, l'histoire, l'art, lui restait insaisissable. Là, aucune de ces références au passé dont il savait si bien jouer ne fournissait la moindre clé. Il finit pas dire : « Je ne sais pas. » – ce qui ne lui ressemblait guère.

En somme, André Malraux s'était fait coller.

Quelques mois plus tôt, il avait été hospitalisé. En signe d'amitié, je lui avais envoyé quelques fleurs. Un peu plus tard, je reçus un livre qu'il venait de publier, accompagné de cette mention : « En souvenir des roses de la Salpêtrière... » Dans ma mémoire, il était à la Pitié. Et s'agissait-il bien de roses?

Mais la musique de la phrase tombait si bien... Des roses de la Salpêtrière... Lui a-t-on assez reproché d'inventer! Encore faut-il en être capable.

Quand j'ai été prévenue de sa mort imminente, j'ai averti aussitôt le Président de la République dont la première réaction a été d'indifférence. « Organisez une cérémonie, me dit-il, le Premier ministre y assistera et vous ferez le discours. »

Nous avons choisi la Cour carrée du Louvre. Bernard Zehrfuss, l'architecte, a aménagé un décor. Il fallait une photo de Malraux. Alors, j'ai dit : « Non. Les photos de Malraux sont toutes affreuses ou très anciennes. Nous allons plutôt mettre un chat, le plus beau chat égyptien du Louvre. Et je suis sûre que Malraux, s'il le voit, sera content. »

Ainsi fut-il fait, contre tout usage, évidemment.

Puis le Président de la République décida soudain d'assister en personne à la cérémonie. Il appartiendrait donc au Premier ministre de prononcer le discours.

Raymond Barre y passa la nuit. Cet intellectuel n'était pas homme à charger un porte-plume d'écrire l'oraison funèbre de Malraux.

Quant à moi, j'ai gardé silencieuse l'émotion que m'inspirait la mort d'André Malraux. Mais, pendant la cérémonie, tandis que les quatre murs de la Cour carrée se renvoyaient l'écho du *Requiem* de Mozart, le chat égyptien et moi avons échangé un clin d'œil.

Mauriac, Malraux... Ensuite c'est Albert Camus qui rejoignit *L'Express*.

Il avait hésité à s'engager dans une collaboration régulière. Il en fut convaincu par Mendès France lui-même au cours d'une visite qu'il lui fit, avec Jean-Jacques, dans son fief de Louviers. Je ne sais lequel des trois déploya le plus de charme. Camus, lui, était le charme même, selon sa propre définition : « S'entendre répondre oui à une question qu'on n'a pas clairement posée. » En tout cas, il dit oui.

Aussitôt, une polémique se déclencha dont je fus l'instrument. J'en dirai deux mots parce qu'elle illustre bien une époque, l'état des esprits en ces années-là, et, plus fondamentalement, l'opposition Sartre/Camus.

Tout commença par quelques lignes publiées par *France-Observateur*, hebdomadaire de Roger Stéphane, Claude Bourdet et Gilles Martinet, se situant dans la mouvance de Sartre, à la frange du communisme : « ... Albert Camus, qui doit pourtant avoir sur la presse d'autres conceptions que Mme Françoise Giroud, va donner une chronique littéraire à *L'Express* », pouvait-on lire.

Camus répondit sèchement qu'il approuvait ma conception du journalisme et que, par contre, il n'aurait pas pu écrire pour *France-Observateur*, parce qu'il ne partageait pas la position de sa rédaction quant au rôle et à l'objectivité d'un hebdomadaire d'opinion.

France-Observateur publia la lettre de Camus, exprima des regrets à propos de la mise en cause de mes conceptions journalistiques, mais se rabattit sur mes « conceptions morales ». Ces hautains censeurs m'accusaient de « croire au succès » et « au style américain ». J'ignore ce qu'est le style américain en matière de presse, mais « américain » était synonyme d'obscène aux yeux de *France-Observateur*. Quant au succès, je n'en ai jamais fait vertu, mais de l'échec non plus, j'en conviens. Ma « morale » était donc jugée contradictoire avec la « morale » prêtée à Camus. De surcroît, celui-ci se faisait tancer parce qu'il aurait refusé de signer je ne sais quelle pétition.

Cette fois, Camus contre-attaqua dans *L'Express*. Il réaffirma sa solidarité avec moi, exprima sa réprobation vis-à-vis des méthodes de *France-Observateur* qui avait tronqué un texte, et situa enfin le débat sur son vrai terrain : celui où il se séparait des positions politiques communisantes de l'hebdomadaire. Claude Bourdet répondit, mais Camus mit un terme à la polémique dont je n'avais été qu'un prétexte.

Décidément, bien que mes rapports personnels avec Sartre eussent toujours été fort agréables, on ne m'aimait pas, dans ce camp-là. Il faut dire qu'à l'époque, Simone de Beauvoir accusait Maurice Merleau-Ponty, le philosophe, d'être « un bourgeois trahissant la cause du peuple » parce qu'il avait décidé d'écrire, lui aussi, dans *L'Express*. N'importe quoi ! Merleau fut meurtri, mais il persévéra.

De cet épisode, j'ai gardé une image : Albert Camus debout, sanglé dans son imperméable, me regardant avec son sourire bleu de séducteur automatique, et me disant : « Ne vous laissez pas intimider. Ce sont des chiens. »

Des moutons, plutôt.

Détail complémentaire : Sartre, homme libre par excellence, n'en faisant jamais qu'à sa tête, collabora ensuite à plusieurs reprises au journal. Ainsi était-il, imprévisible.

La règle veut que l'on crédite aujourd'hui de « générosité » les communisants bourgeois des années de plomb, si nombreux parmi les meilleurs esprits. Eux-mêmes invoquent volontiers cet alibi : ils étaient dans le camp de la misère et de la souffrance. Il y a même eu un sot pour s'écrier : « Je préfère m'être trompé avec Sartre qu'avoir eu raison avec Raymond Aron. »

On pourrait dire que c'est l'honneur de Raymond Aron de n'avoir jamais cherché à séduire. Il s'est obstiné à répéter que les sociétés ne se réduisent pas à des antagonismes économiques, même si ceux-ci sont puissants. Il a persisté à dire que pour gérer tout ce qui est et demeurera conflictuel dans toute société humaine, il faut une instance, le Pouvoir. Et que de tous les pouvoirs, c'est la démocratie qui opprime le moins, qu'il faut donc se soucier de la préserver, car elle est fragile.

Mais le discours de la raison n'est jamais exaltant. Celui de la générosité l'était certes davantage.

Va pour la générosité.

Il y avait alors cette conviction établie, dont on trouvait encore les traces il n'y a pas si longtemps : la victoire inéluctable du communisme sur les démocraties bourgeoises; le sentiment de faire l'Histoire tandis que les démocraties allaient crever comme de vieux chats malades. Il y avait enfin le terrorisme intellectuel écrasant du clan Sartre et de ses épigones.

Il n'est que de relire l'exécution d'Albert Camus par Sartre pour renifler l'odeur du sang.

Tout cela n'était pas si facile à vivre que l'on puisse aujourd'hui condamner ceux qui ont laissé durablement leur cœur intimider leur intelligence.

On voudrait seulement qu'ils nous fassent la grâce de ne pas décréter, maintenant, comment il faut penser. Mais ils ne peuvent pas se retenir. Par nature, ils croient qu'ils savent.

Le père Avril : si quelqu'un avait eu le pouvoir de me réintégrer parmi les enfants de Dieu, humbles et confiants, il aurait été celui-là.

Le père Avril était un dominicain engagé dans les combats du monde, comme souvent les religieux de cet ordre. Sa foi le faisait fort et joyeux, son intelligence le rendait ouvert à tout ce qui était humain, son courage tranquille apaisait.

En ce temps-là, les prêtres portaient encore l'uniforme de leur ordre. Le poil gris, la croix sur la poitrine, le père Avril allait, dans sa robe de laine blanche.

Il faisait partie du petit groupe de personnalités de tous ordres qui participaient au « Forum » de *L'Express* : des gens très divers répondaient, là, aux lecteurs qui les interpellaient. Parce que le niveau des interpellations était élevé, le niveau des réponses l'était aussi. Le père Avril contribuait régulièrement à ce Forum, avec une belle vigueur d'expression.

Pour le situer un peu : quand Jean-Jacques est parti en Polynésie afin de lancer sur place une protestation publique contre les essais nucléaires non souterrains, qui l'a accompagné, parmi quelques autres? Le père Avril dans sa robe blanche.

Familier du journal, donc, lié avec ma mère dont il avait recueilli quasiment les derniers mots, le père

Avril était pour moi une figure chaleureuse. J'avais confiance en lui.

À la suite de cette mort, dans un mauvais jour, je lui ai téléphoné. Il habitait un couvent parisien, il est venu déjeuner avec moi.

Qu'est-ce que j'attendais? Je ne sais pas. J'étais meurtrie, comme il est normal, en pleine régression comme il arrive après un deuil de cette nature, je voulais qu'on me dise enfin ce que je faisais sur la terre et comment on peut vivre sans oreiller où poser la tête.

Mais le père n'avait pas de réponse à mes questions. Ou plutôt, j'étais sourde à celles qu'il espérait me faire entendre. Ce jour-là, j'aurais voulu croire, cependant, que Dieu m'aimait; c'eût été assurément mieux que rien. Hélas, c'était au-dessus de mes moyens.

Je fus en colère contre moi-même. Qu'est-ce qui m'avait pris d'appeler le père Avril comme si je ne savais pas ce qu'il allait me dire?

Je me suis beaucoup excusée de cette impolitesse. Je me sentais coupable, vraiment, j'avais dérangé le père pour lui opposer ce front fermé, buté.

Lui voyait dans mon appel un signe. Il m'a quittée, sur cette parole, assuré que nous nous reverrions.

Je ne l'ai pas revu.

Donc, je cherche qui m'a transmis quoi. Comment les choses passent de l'un à l'autre. Comment à mon tour je les ai transmis : idées, préjugés, comportements, que sais-je.

Et je tombe sur quelqu'un, un collaborateur de *L'Express*, François E., qui dirigeait la section littéraire du journal.

D'origine hongroise, il parle toutes les langues avec un accent grandiose, et, bien qu'il soit haut, il réussit à être aussi large que haut.

Ce personnage coloré, directeur de collection dans une grande maison d'édition, possède une culture encyclopédique qui s'étend aux domaines allemand et anglais, toutes disciplines comprises. En littérature contemporaine, française et étrangère, il a fait mon éducation, c'est simple.

Sa première fonction était d'assurer l'intégrité des pages dont il était responsable. Je ne voulais ni critiques de complaisance, ni copinage, ni confusion des valeurs. Grognant et bougonnant, il n'a cessé d'assurer cette intégrité.

Tout au début du journal, j'avais eu un incident avec Roger Vailland, une vieille connaissance. Le dernier de ses livres ayant été fraîchement accueilli par *L'Express*, il m'avait écrit une lettre offensée. Je lui répondis la vérité, à savoir que nous nous refusions à pratiquer la complicité des gens en place. Nous nous sommes réconciliés. Mais il eut des successeurs. De temps en temps, un auteur ulcéré téléphonait à Mendès France pour dire : « On m'a injurié dans *votre* journal! » Jules Romains, par exemple. « Ce n'est pas mon journal », répondait Mendès France, compatissant et navré.

Dans une matière sensible et vaste comme le livre, le jugement de François E. était précieux. Un jour, toujours grognant et bougonnant, il est parti parce que... je ne sais pas pourquoi, exactement. Parce que la formule du journal changeait, que les livres risquaient d'y tenir moins de place, peut-être. En quoi il se trompait.

En règle générale, les gens de *L'Express* étaient plus jeunes que moi, fût-ce de deux ou trois ans. Alors la transmission s'est faite selon l'ordre des choses, de moi vers eux.

Il y a eu le savoir-faire : je l'avais reçu, je l'ai communiqué, disséminé, rien de plus normal.

Qu'ai-je transmis d'autre? Aux hommes, je ne sais pas. Peut-être rien. Aux femmes, quelque chose de plus, peut-être, malaisé à définir. Une image à laquelle s'identifier. Mais je ne sais pas laquelle au juste. Ce que j'ai tenté de transmettre, c'est une certaine façon de se conduire comme femme dans un milieu majoritairement masculin, de gouverner des hommes en s'affirmant différente, sachant se tenir et assurée de sa plume. Ainsi sont-elles, nombreuses et diverses, qui, au-delà du savoir professionnel, répercutent depuis ces années-là un savoir purement féminin qui leur vient de moi.

Enfin, avant de quitter *L'Express*, je veux parler de la seule figure protectrice d'homme qui ait traversé ma vie.

Il s'appelait Bernard V. Il était chauffeur au journal. Natif du Jura, ancien ouvrier pâtissier, un rhumatisme articulaire l'avait privé de son métier, ce qui le rendait mélancolique.

Je l'aimais beaucoup. Lui aussi m'aimait. Personne ne m'a donné des marques plus fines d'affection.

Ma vie n'était pas de tout repos. D'abord, je n'en finissais pas d'aller manifester. Alors Bernard V. se tenait à côté de moi, me tenant fortement le bras pour empêcher que l'on me bouscule.

Ensuite, nous avons été très menacés au journal, locaux verrouillés, vigiles armés pendant toute la guerre d'Algérie. Dans une période aiguë, Bernard V. a décidé qu'il coucherait devant ma porte. J'ai essayé de l'en dissuader. Il m'a dit : « Ça ne vous regarde pas, je couche où je veux. »

En 1962, une charge de plastic posée par les gens de l'O.A.S. a fait sauter mon appartement, la déflagration épargnant ma fille à la minute près et disloquant l'ascenseur. C'était en plein jour. Bernard V. est arrivé ventre à terre. Il a grommelé : « Les vaches... Je savais que ça finirait comme ça. Allez, venez, faut vous trouver un endroit où coucher, maintenant ! »

Bernard V. souffrait de porter un patronyme qui prêtait à sourire, et davantage encore de n'avoir reçu aucune instruction.

Un jour, il m'a demandé des livres. Je les ai choisis avec soin, pour ne pas le décourager. Il s'y est mis très vite, avec discernement. Ensuite, nous parlions ensemble de ses lectures. Puis, il a voulu s'initier à la musique. Il a acheté un appareil perfectionné, je lui ai d'abord prêté des disques, puis il en a acheté, selon ses goûts.

Bernard V. était l'incarnation du gâchis que produit l'injustice sociale, l'expression même de l'homme démuni pour n'avoir pas reçu le minimum vital de connaissances.

Quand il est tombé malade de nouveau, j'ai été le voir à l'hôpital. Il était gêné. Je n'y suis pas retournée.

Bernard V., c'était ma sécurité. En mourant, il l'a emportée.

Pendant huit ans, la guerre d'Algérie nous avait dévorés. La lutte pour la décolonisation terminée, de Gaulle au pouvoir pour longtemps selon toutes apparences, le nouveau terrain d'action pour un journal, c'était la modernisation du pays et le soutien aux forces réformatrices. Le temps d'un organe de combat étroitement politique était révolu. Il aurait rapidement périclité.

J.J.S.S. prit donc la décision de transformer *L'Express* en magazine d'information inspiré du *Spiegel* allemand et de *Time*. Opération onéreuse dont sa famille assura le financement. Le moins qu'on puisse dire est qu'elle n'a pas eu à le regretter. Elle a pris le risque, et, en bonne logique capitaliste, ce risque a été récompensé.

Quelque chose allait donc mourir à l'automne 1964, ce journal en forme de flamme créé avec trois sous dans trois pièces. Il fallait l'accepter ou partir.

J'ai accepté parce que ce changement de physionomie, ce grossissement subit, ces effectifs doublés, ce style nouveau à créer dans l'écriture, c'était un fameux pari à tenir. Et puis, il n'y a pas de journal sans cause. Je ne doutais pas que nous en trouverions de bonnes à défendre.

Et le fait est... L'opération « nouvelle formule » a réussi au-delà des prévisions.

Ensuite, Jean-Jacques ne s'est jamais résigné à n'être que l'heureux propriétaire d'un grand hebdomadaire prospère, si bien qu'il l'a mis plusieurs fois en danger. Mais quoi! Le journal lui appartenait de toutes les manières. Je n'ai pas aimé que des frileux lui contestent le droit d'en user comme il l'entendait. Ce n'était pas une épicerie dont il fallait surveiller en permanence le tiroir-caisse! À travers tumultes, trahisons, turbulences, *L'Express* a survécu, insubmersible tant que nous restions, lui et moi, solidaires.

Après dix ans de ce régime, cependant, j'avais le sentiment d'être devenue une ménagère veillant sur ses fourneaux. Rien d'excessivement exaltant, mais il y avait tout le temps une casserole qui brûlait dans ce sacré journal. Quelquefois, j'étais lasse. Et même davantage.

Je ne cherchais plus à combler mon « insuffisance », l'analyse m'avait libérée d'une structure mentale destructrice, elle ne pouvait abolir des raisons objectives de douleur ou de chagrin. Or, j'avais perdu, à quelques mois de distance, Douce et mon garçon. La dernière figure protectrice de ma vie et le tendre objet de ma permanente angoisse. De quoi m'envoyer au tapis. J'y fus, saccagée.

Douce, souffrant d'une grippe, avait été hospitalisée pour examens. Je l'avais vue partir avec une angoisse au cœur hors de propos. Des examens, voyons! Elle était perdue, je le sentais.

Elle est morte quinze jours plus tard, un matin. Trois personnes s'affairaient autour d'elle pour lui faire reprendre connaissance. J'ai dit : « Ah, laissez-la tranquille, je vous en prie! » Nous sommes restées seules, j'ai touché son visage, ses mains, ses bras meurtris par les perfusions. Et je suis partie sans attendre son mari. Personne, je ne voulais voir personne.

Douce n'avait pas soixante ans. Nous avions décidé que nous vieillirions ensemble, débarrassées des hommes, disions-nous, comme deux vieilles dames indignes abusant un peu du whisky. Et puis voilà qu'elle me laissait en chemin, seule comme je n'avais jamais été seule, seule jusqu'aux os.

Je n'avais pas fait mon deuil de Douce lorsque mon garçon se tua, comme je l'ai dit, asphyxié par la neige.

J'ai passé quelques mois difficiles, sans céder d'un pouce sur le travail – au contraire, il n'y avait pas d'autre remède – , mais sans goût pour ce travail que je voyais comme décoloré. Pas dérisoire, non. Le travail ne m'a jamais paru dérisoire, en quelque circonstance que ce soit. Mais aux couleurs dénaturées par cette douleur qui me poignait.

On crève ou on s'en sort. Je m'en suis sortie, avec un épais tissu cicatriciel qui descend, profond, mais qui est propre.

Cependant, A. s'inquiétait de me voir sans punch, sans appétit pour les choses de la vie, trop tranquille, trop gentille. Il me pressait de prendre des vacances, de faire un petit voyage. Si on allait voir les Van Gogh à Amsterdam? Ou les Vélasquez à Madrid? Mais Vélasquez lui-même ne pouvait me rendre du tonus. Il fallait que quelque chose ou quelqu'un me saisisse à nouveau l'esprit et l'imagination.

Curieusement, ce fut le président de la République.

« Jamais! Je ne vous pardonnerai jamais! » me dit Gaston Defferre quand il apprit que j'avais accepté d'être secrétaire d'État.

Et, de fait, il ne m'a jamais pardonné. Il faut dire qu'il avait une tête de cochon. Je lui ai bien pardonné, moi, d'être ministre aux côtés des communistes, lui, Gaston Defferre, leur adversaire le plus virulent. Quel déni! Autrement plus important, politiquement, que ma présence au gouvernement.

Une amitié ancienne et pudique nous avait liés pendant des années. J'avais de l'estime pour son caractère. Son image publique, brouillée, ne rend pas justice à ce grand seigneur de province habillé à Londres, protestant, ombrageux, intègre, courageux de toutes les manières, dissimulant sous des façons de matamore une réelle modestie politique. Il savait qu'il n'avait pas l'étoffe d'un numéro un. Premier à Marseille, il n'en doutait pas, mais pas en France. En 1963, quand *L'Express* l'avait propulsé sous les projecteurs pour en faire le challenger de De Gaulle à l'élection présidentielle, il avait souffert, oui, souffert.

Nous nous sommes rabibochés; à Noël, il a continué à m'envoyer du parfum, et moi des cravates, en vertu d'une longue tradition. Mais les choses n'ont plus jamais été comme avant, et j'en ai eu de la peine.

C'est le seul ami que mon équipée ministérielle auprès de Valéry Giscard d'Estaing m'a coûté. J'en ai gardé la tristesse.

Qu'est-ce qui m'a pris? comme disait Mendès France. Je ne vais sûrement pas m'en excuser. Mais il faut remettre les choses dans leur contexte, à leur place.

Quelques semaines avant l'élection présidentielle de 1974, François Mitterrand dîne chez moi avec Jean-Jacques Servan-Schreiber. Nous sommes seuls tous les trois, et il commence par nous raconter avec la drôlerie dont il est capable sa dernière réunion, clandestine, avec Georges Marchais. Manifestement, il n'est pas ensorcelé!

Mitterrand est alors Premier secrétaire du parti socialiste et l'Union de la gauche est sur le feu. Jean-Jacques est député de Nancy et président du parti radical. Ce n'est pas un parti de masse, mais les voix qu'il peut drainer seront décisives dans l'élection présidentielle.

L'ennui est que Jean-Jacques est résolument hostile à toute union avec les communistes, essentiellement pour des raisons économiques. François Mitterrand connaît sa position et tente de le circonvenir. La conversation reste amicale, mais elle tourne court.

Quelques jours après, Jean-Jacques persuade non sans peine le parti radical d'apporter son soutien à Valéry Giscard d'Estaing. Le vieux parti entre en transe. Il justifie son choix : d'un côté, un retard économique encore aggravé, de l'autre, un Giscard dynamique, qu'il connaît depuis l'École polytechnique, qu'il sait déterminé à mettre en œuvre des réformes proches de celles que lui-même préconise impérieusement.

Le mot « réforme » sera d'ailleurs le leitmotiv de la première année du septennat. Dans l'esprit de Jean-Jacques, Giscard sera le Roosevelt français.

À *L'Express*, c'est un coup de tonnerre! Vingt années de luttes « à gauche » pour finir par soutenir Giscard contre Mitterrand! Moi-même, je suis choquée. Le dernier numéro avant l'élection est déjà sorti. J'écris un petit article dans *Le Provençal* de Gaston Defferre pour indiquer que, personnellement, je voterai pour François Mitterrand.

R.T.L. organise une émission où Giscard fait face à cinq ou six journalistes, dont je suis. Je lui demande s'il connaît le prix d'un ticket de métro. Il ne connaît pas. Une émission analogue a lieu le lendemain, avec François Mitterrand. Je lui demande s'il connaît le budget de la Sécurité Sociale. Il hésite. J'écris le chiffre sous ses yeux.

L'élection se déroule le 19 mai 1974 : Valéry Giscard d'Estaing l'emporte à une faible, très faible majorité : 50,66 %, 450 000 voix d'avance. Jean-Jacques peut être content de lui. Il est un peu l'artisan de ce succès.

Je lui dis ce qui saute aux yeux : Giscard ne pourra rien faire. Il n'a pas de majorité. Sur quelles forces va-t-il s'appuyer pour faire des réformes? D'ailleurs, les Français n'aiment pas les réformes. Ils procèdent toujours par explosions.

Mais c'est parti.

Le pays a un nouveau président jeune, agile, joyeux après ces longs mois où la maladie de Georges Pompidou a pesé d'un poids morbide, si courageux qu'il ait été.

Quand, quelques jours plus tard, Jean-Jacques me dit : « Giscard voudrait vous confier un secrétariat d'État », je suis ahurie et je réponds : « Ce n'est pas sérieux. »

Quand le nouveau président de la République m'appelle pour me demander de passer le voir chez lui et me dit au téléphone : « Je sais que vous n'avez pas voté pour moi. Donc, je ne peux pas insister... Mais ce n'est pas incompatible... », je m'aperçois qu'un engrenage s'est enclenché. Mais je pense que je vais l'arrêter. On peut toujours dire non.

Pourtant, je vais dire oui.

C'est que ce matin-là, dans la haute bibliothèque de son hôtel particulier, Giscard se montre éblouissant. Il porte désormais le halo magique du pouvoir. Il résume son projet politique – réformes, réformes, réformes. Surtout, son discours sur les femmes est, au sens propre du terme, inouï dans la bouche d'un homme politique. Quand il évoque l'avortement, qu'il est résolu à faire légaliser par le Parlement, et m'interroge sur l'aptitude de Simone Veil à défendre cette nouvelle loi, je mesure sa détermination, que je verrai plus tard à l'œuvre sur ce sujet..

Mais son propos est plus large. Il est le premier, sinon le seul, à avoir compris que « les femmes », ce n'est pas un sujet de gaudriole à la fin des banquets politiques, mais une force désordonnée, irrésistible, qui est en train d'émerger et de faire craquer la société. Sensibilité? Intelligence? En tout cas, il va tenter de récupérer cette force.

J'ai toujours su que la ligne de clivage entre... disons, pour simplifier, misogynes et féministes, ne passe pas entre la gauche et la droite, qu'elle départage des attitudes enracinées dans un tout autre terrain. Valéry Giscard d'Estaing en apporte la preuve.

En le quittant, je me dis : « Qu'est-ce que mes amis vont penser de moi? » Réponse : il y a dix ans que je ne me préoccupe plus de ce qu'on pense de moi. C'est ma liberté. Il faut seulement que j'en use bien.

J'ai essayé.

Pendant trois ans, Giscard m'a tenue sous le charme de son intelligence pure et claire comme de l'eau de source, une intelligence lumineuse.

Le reste ne suit pas toujours, mais tout le monde en est là. Ce n'est pas l'intelligence seule qui produit l'action. On sait qu'il défaille devant une particule. Ce bourgeois auvergnat donnerait tout ce qu'il possède – et pourtant, il n'aime pas donner! – pour appartenir à l'aristocratie. Hélas, on ne se naturalise pas plus aristocrate qu'on ne se naturalise ouvrier. Cette obsession le dévore et surgit à tout propos comme un diable de sa boîte. La seule chose qui aurait adouci sa défaite de 1981, c'est que l'une de ses filles soit duchesse. Mais ce n'était pas dans leurs idées.

Cependant, je ne l'ai jamais vu susciter des courtisans, ce qui est remarquable dans le système de monarchie élective où nous sommes. Le phénomène de cour qu'engendre ce système s'est produit autour de lui parce qu'il est inévitable, mais modérément, sans rien de commun avec ce qui a suivi, et sans qu'il le provoque. Ses fantasmes royaux sont d'une autre nature.

Brillant d'autant de faces qu'un bouchon de cristal, il est multiple, sec et hypersensible, dur et fragile, froid et frivole, dangereux comme un cobra et sentimental comme une jeune fille, capable de mesquinerie comme de délicatesse. Une disposition particulière de son esprit, parfois déroutante, le conduit à voir les choses comme il voudrait qu'elles soient. En fait, il en a d'abord une perception rapide, mais aussitôt évacuée si elle risque de le déprimer. Il dédramatise comme certains dramatisent. Cela tient un peu de la méthode Coué, mais sans doute préserve-t-il ainsi ses forces.

Pendant la campagne présidentielle de 1981, le collaborateur qu'il avait chargé d'analyser les sondages et qu'il recevait toutes les semaines s'est présenté un jour, alarmé, en disant : « Les résultats sont préoccupants. Toutes les courbes indiquent que vous risquez d'être battu si vous ne réagissez pas. » Que croyez-vous qu'il fit? Il a destitué le porteur de mauvaise nouvelle et ne l'a plus revu.

S'il avait eu une véritable majorité en 1974, aurait-il réussi à débloquer quelques-unes au moins des paralysies de la société française? De l'économie, malsaine depuis si longtemps? « Un échiquier de forteresses », disait Raymond Barre.

Il avait l'ardeur, la détermination, la vision. Les Français ne l'aimaient ni ne le détestaient. Mais peut-on faire de la social-démocratie, même atténuée, quand on a contre soi toute la gauche, plus une bonne partie de la droite? Peut-on toucher à des privilèges, à des subventions, à des mécanismes inflationnistes générateurs de profits énormes?

Peut-on rassembler autour d'une politique alors que le Premier ministre, et son parti tout entier, lui sont hostiles? Qu'elle les révulse? Lorsque Jacques Chirac a quitté volontairement le gouvernement, le seul mot de « réforme » lui donnait de l'urticaire. Lui qui avait trahi Chaban-Delmas pour faire élire Giscard, voilà qu'il s'était retrouvé à la gauche de Chaban! Il éructait.

La tentative réformatrice de Valéry Giscard d'Estaing, cet espoir de moderniser la France dans ses structures mentales comme dans ses structures tout court, a duré deux ans pendant lesquels il y eut quelques accomplissements non négligeables, en particulier dans le domaine social, mais rien qui touchât au fond, rien qui ébranlât l'« échiquier de forteresses ».

Entre une gauche immuable et un R.P.R. désormais agressif, la marge de manœuvre de Giscard était devenue dérisoire.

Ce ne fut pas le moindre mérite de Raymond Barre, devenu Premier ministre, que de prendre sur lui l'impopularité d'une politique de défense du franc, tandis que l'inflation galopait et que la marée noire du chômage montait. Qu'il plaise ou non, qu'il ait ou non un destin national, comme on dit, peu d'hommes sont plus estimables. Est-il bon d'être estimable pour devenir président de la République, c'est une autre question.

J'ai raconté ailleurs quelques scènes de la vie ministérielle, leur aspect cocasse parfois. Après avoir lu ce que Valéry Giscard d'Estaing écrit dans ses mémoires – et les cuisses d'Alice Saunier-Séité, et ses propres petites maladies, et celles de Brejnev, et celle d'Helmut Schmidt –, je me demande pourquoi je me suis astreinte à la réserve. Mais je n'alimenterai pas ici, tardivement, la rubrique des indiscrétions.

Je livrerai seulement un mot, parce qu'il en vaut la peine. C'était après les élections législatives de 1978, perdues de justesse par la gauche. Je n'étais plus au gouvernement, mais je vice-présidais l'U.D.F. où je représentais le parti radical. D'où ma présence, ce matin-là, autour de Giscard, à l'Élysée, avec trois ou quatre personnes.

La campagne électorale avait tourné tout entière autour du thème : le Smic à 3 000 francs, à quoi Raymond Barre, les yeux sur le cadran de l'inflation, s'opposait vigoureusement.

« Mais, bien sûr, il faudra augmenter le Smic, dit le président de la République. Qu'est-ce que c'est, 3 000 francs? C'est ce que nous donnons à nos enfants chaque mois comme argent de poche... »

Je ne suis pas sûre qu'il se soit rendu compte de ce qu'il disait.

Quelquefois, rarement, sur un sujet insignifiant, un mot lui échappait qui le renvoyait à sa famille naturelle, la droite. Droite intelligente, éclairée, flexible, moderne assurément – rien de commun avec les solennels possédants réactionnaires que j'avais connus dans ma jeunesse. Droite chic, aussi; on sait qu'il y en a d'autres. Droite gratin, quelquefois...

Lui aime à dire qu'il appartient en vérité au « centre droit ». Pourquoi pas, si cette nuance lui est agréable.

On connaît la formule d'Ortega y Gasset, souvent reprise par Raymond Aron, selon laquelle à être de gauche ou de droite, on se condamne à être hémiplégique. Bien sûr. Mais serait-ce à dire que l'on peut se sentir totalement étranger à l'une ou l'autre de ces catégories? Je ne le crois pas. Au minimum, quelque chose dans la sensibilité vous porte ici ou là, pour ne rien dire des raisons plus concrètes propres à incliner dans un sens ou dans l'autre.

Les réflexes de la gauche, bons et moins bons, je les connaissais. J'ai observé, avec Valéry Giscard d'Estaing, et surtout autour de lui, des réflexes de droite. C'était comme un voyage en terre étrangère. On en retire toujours quelque chose.

Pour exister, au gouvernement, il faut soit représenter une force – celle du ou des partis au pouvoir –, soit appartenir à l'écurie personnelle du président de la République. Les malheureux qui se trouvent entre ces deux situations vont, mélancoliques et solitaires, remâchant l'idée qu'ils se faisaient d'un gouvernement. Même Malraux a éprouvé le sentiment de n'être pas pris au sérieux, lui qui avait cru devenir ministre chargé de l'Algérie, parce qu'il n'était mis au courant de rien.

Petit mouton noir sans troupe, je serais tombée dans une trappe si le président ne m'avait donné un appui constant et ostensible – ostentation précieuse, parce qu'elle provoquait un phénomène de cour. Le président a dit... Le président trouve que... Le président voudrait que... Grâce à quoi, les fonctions qu'il m'a confiées ont eu un sens.

À la Condition féminine, j'ai connu le plaisir succulent de faire bouger les lois dans la direction que je jugeais la meilleure pour le bien public. Il y a peu d'actions plus gratifiantes.

À la Culture, budget ridicule en ce temps-là, je ne suis pas restée assez longtemps pour mettre en œuvre les quelques idées que j'avais, mais c'était bien parti...

J'aimais cet emploi précaire, cette espèce d'extra que je faisais. Ma sécurité, c'était *L'Express*, où je pouvais retourner à tout moment. Mais j'avais comme un contrat avec Valéry Giscard d'Estaing. Il avait eu cette idée bizarre de venir me chercher : en échange, je lui devais de faire bien ce que j'avais à faire. Je le devais aussi aux femmes. La responsabilité des premières femmes accédant au gouvernement était si grande...

J'ai été un ministre inquiet – comment ne le serait-on pas? – mais heureux.

Le reste, cette enflure de la tête, cette dilatation du

moi, cette hypertrophie de l'ego, si promptes à affecter quiconque dispose d'un poste ministériel parce que tout concourt à y faire perdre le sens des réalités, je n'ai pas connu. Les femmes y sont moins exposées, c'est un fait. Elles ne décollent jamais complètement de la vie, peut-être parce que la vie se charge de coller à elles, avec son cortège de trivialités domestiques.

Mais que c'est donc malsain, un ministère... Salons dorés sous lustres de cristal dans du faux Second Empire, ce décor, le plus courant, ne correspond même plus au luxe d'aujourd'hui, à supposer qu'un ministre ait besoin d'un autre luxe que le confort. Il est irréaliste et fait vieux pays de l'Est. Ces huissiers, chauffeurs, serviteurs, fonctionnaires en tous genres, ce personnel que le ministre trouve là, en entrant, pour lui épargner jusqu'au désagrément de porter lui-même sa serviette, tout ce monde qu'il n'a même pas eu la peine de recruter, dont il ne connaît même pas les salaires, où les remplacements se feront automatiquement en cas de défaillance, et la table ouverte à la salle à manger – qui vit de la sorte?

Tout cela est à la fois accessoire et important. Important parce que ça met aisément la vérole dans la tête. À Stockholm, les ministres sont réunis dans le même bâtiment, fonctionnel. Je crois même qu'ils ont une cantine. J'y étais un jour, circulant d'un bureau à l'autre. Mon directeur de cabinet m'avait perdue. Il a vu une porte ouverte... Un monsieur lui a demandé : « Vous cherchez quelqu'un? Ah, elle est partie! Elle doit être par ici, maintenant.... » Et il s'est levé pour indiquer la bonne direction. Ce monsieur, c'était le Premier ministre, Olof Palme. Ce ne serait pas mieux comme ça?

La Suède a quelques difficultés aujourd'hui et je ne dirai pas que c'est un paradis. Simplement, de tous les pays développés, c'est celui qui s'est approché le plus – singulièrement sous la poigne d'Olof Palme – d'une redistribution équitable de la richesse nationale sans casser les moyens de produire cette richesse.

Cependant, avez-vous jamais vu, en France, des jeunes courir les rues en criant : « Vive Olof Palme! »? Lui a-t-on dédié des banderoles? En a-t-on fait des posters? Non. C'est à Staline, à Mao, à Castro que des milliers d'Occidentaux ont accroché leur espérance de justice. Avec la réussite que l'on sait.

Bizarre, non?

Le peu de succès que rencontre la raison dans le monde ne m'empêchera jamais d'essayer de m'y tenir, même si, parfois, on se sent un peu seul.

À condition que leur journal ait une réputation, les journalistes peuvent rencontrer qui leur plaît, ou à peu près. En ce qui me concerne, la série « hommes d'État » avait commencé par Churchill, vers 1946 ou 1947.

Le vieux bouledogue se reposait, à Marrakech, à l'hôtel de la Mamounia. Il m'attendait dans le jardin; son accueil fut charmant mais néanmoins surprenant :

« Ma chère, dit-il, savez-vous que je n'accorde jamais d'interview? Pourquoi voulez-vous que je donne de la copie gratuite aux journaux? J'écris très bien moi-même. Si votre journal veut que je réponde aux questions qu'il se pose, je le ferai volontiers dans un article, qu'il paiera très cher! »

Et il éclata de rire.

Il me garda à déjeuner après m'avoir fait jurer que pas un mot de notre conversation ne serait rapporté. J'ai juré. Et voilà comment je n'ai pas interviewé Winston Churchill.

Mais j'avais été heureuse de le voir. Tout de suite après la guerre, Churchill, c'était une figure. J'avais envie de l'embrasser, malgré son cigare.

J'ai dit plus haut comment j'avais rencontré Dwight Eisenhower, et avec quel profit.

Plus tard, j'ai connu Indira Gāndhī, la reine non couronnée des vingt États de l'Inde. Je l'avais rencontrée à Paris; elle m'avait invitée à voyager dans son pays. Après quatorze heures d'avion, j'étais arrivée à New Delhi pour voir un défilé de canons, tanks, Migs 21, la Grande Parade du « Republic Day », et j'avais eu le poil rebroussé par ces fastes militaires.

« Vous n'êtes pas raisonnable, me dit Indira Gāndhī. Européenne, hein? Vous oubliez que l'Inde est au cœur de l'échiquier diplomatico-militaire où se joue en Asie la lutte entre super-puissances pour la domination du monde... »

Souveraine, d'une ferme sérénité qui allait au-delà de l'apparence, elle semblait être la mère de ses six cents millions d'enfants inégalement développés, inégalement partagés entre l'Inde atomique, efficace en particulier dans les industries de pointe, riche en cerveaux, et l'Inde de l'âge de pierre, huttes de roseau, paysans couleur de chanvre rentrant le soir sur leurs chars à buffles, villages d'avant l'Histoire truffés de temples roses.

Ma fille m'accompagnait. Nous avons circulé à travers l'immense pays. J'ai vu beaucoup de merveilles dans le monde; l'Inde, c'est autre chose. L'Inde vous absorbe, on s'y enfonce comme dans des sables mouvants, comme si on allait se diluer dans l'ordre cosmique... La mort, là-bas, n'est pas une fin, c'est une étape. Très vite, il paraît dérisoire de vouloir rentrer pour s'affairer à ses activités occidentales grossières.

Quelques hauts lieux de solitude demeurent, où l'on ressaisit un silence oublié, silence des campagnes immobiles, de la paix du soir après le labeur; silence nocturne baignant, à Konarak, le Temple du Soleil.

Il n'y a pas de hiérarchie dans les beautés de pierre que porte la Terre. Les raisons pour lesquelles la sensibilité fait plutôt écho à celle-ci qu'à celle-là sont mystérieuses. Au sein d'Elephantā, l'île qui se trouve face à Bombay, la triple tête de Çiva, m'a touchée comme Angkor au Cambodge, comme Abou-Simbel en Égypte. Colossale, haute de cinq ou six mètres, composée d'un masque aux yeux clos et de deux profils encore engagés dans la montagne, c'est l'Inde dans tout le mystère de sa magie.

Indira Gāndhī parut heureuse que nous ayons été subjuguées par son pays, et en même temps mélancolique. Le territoire était électrifié, mais pas encore complètement irrigué, loin de là. Elle énuméra les actions dont elle était fière, mais parut un instant écrasée par tout ce qu'il y avait encore devant elle, en particulier l'illettrisme.

Je la quittai en la remerciant beaucoup. Comme tous les Indiens de haute caste, elle répugnait à serrer la main. Elle préférait saluer les deux mains jointes, comme dans la prière, le geste signifiant que l'on salue en tout être humain la part divine. Elle avait de très jolies mains, menues, de vraies mains de femme qui de sa vie n'a accompli aucune tâche un peu rude. Indira Gāndhī était profondément féminine dans sa grâce, dans sa démarche intellectuelle, dans son pragmatisme, dans la façon qu'elle a eue d'aimer ses deux fils.

De cette féminité, j'ai eu un échantillon comique, des années plus tard, à Paris où elle se trouvait pour quelques jours. On m'avait demandé de l'accompagner dans une visite d'exposition au Centre Pompidou. Elle était lasse. Nous nous sommes assises, cernées par des journalistes. Elle s'est baissée à plusieurs reprises. Je ne comprenais pas ce qu'elle faisait. J'ai demandé si je pouvais l'aider.

« C'est mon sac, me dit-elle. J'ai encore perdu

mon sac. Je le perds tout le temps, c'est insupportable...

– Le voilà...

– Ah merci! Parlons anglais, voulez-vous, je suis fatiguée... Vous ne perdez pas votre sac, vous?

– Euh... Non. Mais pourquoi donc traînez-vous un sac?

– Il faut bien.

– Je ne vois pas pourquoi. Vous n'avez besoin ni d'argent, ni de papiers, ni de clés, ni d'agenda...

– Il me faut un mouchoir, un peigne!

– Cela se met dans une poche!

– Mais il ne peut pas y avoir de poche sur un sari! Non, je vous assure, je suis condamnée au sac.... »

Elle disait cela de façon cocasse, comme s'il s'agissait d'une malédiction propre aux femmes.

Un journaliste s'approcha pour s'enquérir de l'objet de notre conversation. Nous nous sommes regardées, au bord du rire. « Secret d'État », a dit Indira Gāndhī en français.

Et nous sommes parties.

Mes relations avec le shah d'Iran avaient été moins heureuses. Intelligent, indéniablement, ivre d'arrogance, sûr de son peuple comme de lui-même. Le protocole avait exigé que je porte des gants et que je salue le shah d'une révérence. J'avais dit : les gants, bon; la révérence, non. Ce qui n'était pas raisonnable, mais était-ce acceptable de faire révérence à un chef d'État dont les geôles étaient pleines de prisonniers politiques?

J'esquissai une vague flexion du genou en lui serrant la main. Il n'a pas aimé. Ou peut-être était-il toujours désagréable. On disait qu'il avait mal aux dents, ce qui n'améliore pas le caractère.

Sur les affaires du monde, assis sur son pétrole, il

fut définitif, tranchant, fier gendarme de l'Occident aux marches de l'Orient. Sur les affaires de son pays, il fut définitif, tranchant, et jura qu'il n'y avait pas le moindre prisonnier politique en Iran.

Rarement j'aurai entendu dirigeant plus assuré de régner plus longtemps.

Tout ceci pour dire quoi?

Que les journalistes sont beaucoup mieux placés que les ministres pour s'entretenir sérieusement avec ceux qui mènent les États. À eux de poser les bonnes questions... Souvent, ils obtiennent des réponses interdites de publication, *off the record*, mais elles auront composé un tableau de fond sur lequel viendra s'inscrire tout ce qu'ils apprendront.

Les petits ministres, en revanche, et même les grands, à l'exception de celui des Affaires étrangères, sont condamnés à la figuration intelligente dans les grands dîners protocolaires. Soirées mortelles, surtout lorsqu'on se retrouve assise entre deux gentilshommes qui ne parlent aucune langue connue hors de leur pays d'origine. Cela m'est arrivé. Nous avons beaucoup souri.

Quelquefois, de menus incidents éclairent fugitivement l'ennui de la soirée. Une fois, lors d'un dîner offert par le Premier ministre à Ali Bhutto, son homologue du Pakistan, il y avait une toute jeune fille, exquise, qui ne cessait de regarder la porte. J'ai fini par lui demander si elle attendait quelqu'un. « Oui, m'a-t-elle répondu fermement, j'attends Alain Delon. On m'a promis qu'il viendrait... » C'était Benazir Bhutto. Alain Delon n'est pas venu.

Grand et gai, le roi d'Espagne m'a paru tout à fait sympathique. Nous avons bien dû échanger cent mots entre deux pièces musicales.

Minuscule et jaune foncé, Deng Xiaoping a un faciès de bagnard rusé. Je ne saurai dire que j'aie eu avec lui une conversation animée. Étrange dîner sans épouses, avec une représentation féminine minimum : une ou deux Françaises, une ou deux Chinoises en costumes maos, piquées autour d'une table de cinquante convives. Je me trouvais assise presque en face du terrible petit Chinois et de Valéry Giscard d'Estaing, assistés de leurs interprètes. Alors, j'ai entendu cet échange :

Le Président (parlant pour dire quelque chose) : « Et comment voyez-vous l'avenir? Vous croyez qu'il y aura encore des révolutions? »

Deng Xiaoping (sévère) : « Monsieur le président, vous n'avez jamais entendu parler de la lutte des classes? »

Margaret Thatcher n'était pas encore Premier ministre, seulement chef du parti conservateur, quand je l'ai rencontrée, et là nous eûmes une vraie conversation. J'étais invitée par je ne sais plus qui, la Chambre des Lords il me semble, à venir parler de l'action de la France, s'agissant des femmes. Margaret Thatcher, toute rose dans un tailleur bleu ciel, devait me présenter à l'assistance. Mais elle me reçut d'abord seule, et me tint un discours si violemment antiféministe que je faillis le prendre mal. Il y eut comme un accrochage entre nous. Elle avait déjà, selon la formule d'un éminent Français qui la fréquente beaucoup, la voix de Marilyn Monroe et l'œil de Staline.

Disons la vérité, c'est amusant de rencontrer tous ces gens-là, de les voir autrement qu'à la télévision, de sentir le grain de leur paume, de humer leur parfum, de saisir un geste, de vérifier une intuition. Amusant, sans plus.

La seule rencontre émouvante, d'une certaine façon, que je doive à la vie ministérielle, s'est déroulée à Belgrade, où le président m'avait emmenée. Là était Tito, en liberté, avec sa majestueuse épouse qu'il n'avait pas encore répudiée.

Et c'était un spectacle.

Ce formidable guerrier recevait dans une maison d'opérette tyrolienne, entouré de soldats d'opérette, du moins par le costume.

Les cheveux, teints au henné de façon si ostensible qu'ils vous tiraient l'œil, cernaient le profil magnifique dont les traits commençaient à être noyés. Un vieux lion usé.

Il y eut deux réunions de travail que Tito présida avec Valéry Giscard d'Estaing. Puis, le deuxième soir, avant notre départ, un dîner intime dans sa maisonnette. Et là, Mme Tito parut dans tout l'éclat de ses diamants. Elle en avait partout. Partout. Et ils étaient gros, et ils étaient beaux. Sur son cou, sur sa poitrine, ils ruisselaient tandis que sur la table ruisselait le caviar. Elle faisait matrone, avec son gros chignon corbeau, mais belle matrone.

Ensemble, les Tito offraient un aspect comique, comme s'ils avaient exactement engraissé au même rythme et avec le même caviar pour atteindre à ces rotondités identiques. Et on se disait : « Est-ce que ça finit toujours comme ça? Tito! Le maquis, l'intrépidité, le courage politique, le choc avec Staline, la voie originale à l'intérieur du communisme, Tito, le dernier Grand de la guerre... Et elle qui faisait le coup de feu dans le maquis... Et puis on a le pouvoir, on y reste, on grossit et on se balade avec les cheveux teints et des diamants... Ah, misère! »

En rentrant, comme les autres membres de la délégation française, j'ai trouvé un cadeau dans ma chambre. Il s'agissait de la reproduction d'une fresque, sans intérêt. Mais elle était accompagnée d'une petite carte de visite ordinaire : « Josip Broz Tito ». Et ça, ce n'était pas ordinaire.

Je l'ai gardée.

Valéry Giscard d'Estaing a fait, on le voit, de son mieux pour m'instruire, me donner de bonnes fréquentations, me civiliser. S'il n'a pas contribué à me former le caractère, c'est que le plus gros était fait, pour le meilleur et pour le pire. Je n'étais plus récupérable. Mon esprit de rébellion s'était érodé, certes, avec ma jeunesse. Je ne pensais plus – comme François Mitterrand le pense encore aujourd'hui – que les riches doivent être punis, qu'on n'a pas besoin de ces gens-là. Mendès France était passé par là. Je n'étais plus dressée aveuglément contre la société, refusant tous les rites d'intégration, me fâchant avec mon ami Georges Izard quand il fut élu à l'Académie française, comme s'il avait acheté un bordel. Lacan était passé par là.

Je ne rougissais plus jamais de moi : la marque même de la « liberté réalisée » selon un bon auteur. Mais je n'étais pas résignée à l'ordre des choses, sous prétexte qu'il m'avait été favorable. Comment supporter sereinement que seules les minorités dirigeantes respirent, parce qu'elles commandent?

Quand je suis sortie du gouvernement Barre, après avoir été battue dans une élection municipale à Paris où je m'étais fourvoyée à la demande du président, celui-ci m'a proposé des postes divers, télévision, ambassade... J'ai été sensible à l'intention, mais j'ai refusé; j'avais hâte de retrouver mon indépendance, le droit d'écrire.

Déjà, cela me pesait de représenter le parti radical au sein du conseil de l'U.D.F. Les interminables séances politiques hebdomadaires m'ennuyaient au-delà de toute expression. Non que je les méprise, elles sont nécessaires, il faut savoir s'y conduire avec discernement, manœuvrer, se faire entendre, écouter. Mais j'y suis mauvaise. Impatiente, pressée qu'on en arrive à des conclusions pratiques là où les hommes n'en finissent pas de discourir et de se délivrer de leur violence intérieure par le verbe... La politique active n'était pas faite pour moi, je n'étais pas faite pour elle, j'en avais acquis la conviction, résolue à ne plus jamais me laisser piéger dans une aventure électorale. Je me suis dégagée du conseil de l'U.D.F. dès que j'ai pu le faire correctement. Je pensais parfois que ce n'était pas un comportement très courageux de ma part. Mais il est toujours immoral de mal faire ce que l'on fait.

Se passa alors cette chose imprévue : Khomeiny prit le pouvoir et fit exécuter Amir Hoveyda. Je connaissais bien l'ancien Premier ministre d'Iran, je savais combien ses liens avec la France étaient étroits, quels services il avait rendus; je fus horrifiée de constater que le président de la République, après avoir si poliment hébergé Khomeiny à Neauphle-le-Château, n'était pas intervenu auprès de lui avec la dernière énergie. Et je l'ai écrit en un quart d'heure, dans le *Journal du dimanche*, sous le coup d'une véritable émotion, un peu vivement peut-être.

Valéry Giscard d'Estaing m'a tenu rigueur de cet article.

Les politiques pardonnent tout. Ils se trahissent l'un l'autre, se réconcilient, se re-trahissent, les choses finissent toujours par s'arranger. Ce qu'ils ne pardonnent pas, ce sont les conduites d'indépendance, ce par quoi on leur échappe. C'est comme si on leur tirait la langue. « Incontrôlable », disent-ils.

Eh bien oui. Incontrôlable. Je le prends comme un hommage. Incontrôlable, donc inadaptée à la vie politique où l'on ne joue jamais sa partie isolé, sauf à la perdre, où l'on doit chasser en meute, comme les sangliers.

Je suis un chasseur solitaire.

Huit jours avant, j'étais une directrice de journal en pension au gouvernement.

Huit jours après, je n'ai plus de journal et je n'appartiens plus au gouvernement.

Depuis plus de trente ans, j'allais au bureau tous les matins. Plus de bureau. Une voiture venait me chercher. Plus de voiture. Deux secrétaires m'assistaient. Plus de secrétaires. J'étais payée à la fin du mois. Plus de salaire.

Alors, j'ai choisi ce moment pour déménager. Afin que table rase soit faite, partout. Que je me régénère.

Je suis venue habiter tout à côté de A., l'immeuble voisin. C'est probablement la façon la plus civilisée de vivre ensemble. Elle me convenait en tout cas. Ce que j'ai connu de l'existence commune avec un homme m'a toujours paru barbare, sans doute parce qu'il n'y avait jamais eu d'homme dans ma maison d'enfance. Se cogner sans cesse l'un dans l'autre... A. ne partageait nullement mes répulsions, mais les acceptait comme des fantaisies.

Il n'a jamais douté que je ferais le rétablissement nécessaire après mon double plongeon, mais il savait que j'étais touchée au fond par la vente de *L'Express* à Jimmy Goldsmith. On m'avait volé un enfant.

« Écris, me dit A., écris vite. C'est ce que tu as de mieux à faire. »

Ai-je dit qu'A. était éditeur? Bon éditeur.

J'ai entrepris *La Comédie du pouvoir* et, ce faisant, j'ai mis la patience d'A. à l'épreuve. Les gens qui écrivent sont très embêtants à vivre. Il faut supporter cette façon qu'ils ont d'être engloutis dans leur travail, cette distraction, ces crises de découragement parce que « tout ce que je fais est mauvais, je vois bien que c'est mauvais ». Il faut les aimer vraiment. Par-dessus tout, je me posais des questions : jusqu'où avais-je le droit d'aller dans ce livre? J'étais insupportable.

Mais j'avais plus de loisirs qu'autrefois, parce que mon emploi du temps, si rigoureux qu'il fût, dépendait de moi. On n'écrit pas douze heures par jour. Alors doucement, tout doucement, parce qu'il savait la bête rétive, A. s'est mis à glisser dans mes journées des petits plaisirs. Il m'a emmenée, un dimanche matin, voir les fleurs au Pré Catelan et le grand hêtre roux avec lequel je me suis liée. Un soir, ce fut le Parc des Princes pour soutenir le Paris Saint-Germain. Un autre jour, nous avons fait le tour des galeries du Marais... Il m'a persuadée qu'un week-end à la mer ne serait pas répréhensible, qu'un saut à Madrid pour assister à la finale du Mundial, avec son complice en football Henry Kissinger, serait divertissant.

Je n'en suis pas devenue une sybarite, oh non. Mais cette aptitude au bonheur qui caractérisait A., cet amour de la vie, ce sensualisme léger, tout ce dont il m'imprégnait sans y paraître, m'a rendue plus fréquentable pour les autres, plus douce à moi-même. J'ai appris qu'il ne faut pas manquer sa matinée de printemps.

Aujourd'hui, quelqu'un que j'aime, ma fille, l'un de mes petits-fils, l'un ou l'une de mes amies peut faire irruption chez moi, interrompre mon travail, me voler une demi-heure, une heure. Non seulement je ne grogne pas, mais j'en suis arrivée à trouver ces ruptures agréables comme des plages de tendresse qui viennent éclairer ma journée. On n'en finit jamais de faire des progrès.

Après m'avoir occupée plusieurs mois, *La Comédie du pouvoir* a connu un grand succès qui a restauré mon moral et, accessoirement, mes finances.

J'avais sorti la tête hors de l'eau.

Et puis A. est tombé malade.

Je peux encore apprendre, parce que le goût m'en est resté, et même j'ai le sentiment d'apprendre tous les jours. Un article ici, un livre là. Mais ma mémoire est devenue infidèle. C'est très embêtant, à cet égard, de vieillir.

Je suppose qu'une méditation sur la vieillesse ennuierait tous ceux qui ont lu ce livre jusqu'ici. Les plus jeunes n'ont rien à en faire, les moins jeunes ont assez à faire avec leur propre vieillissement sans qu'on vienne étaler le sien.

Au demeurant, je m'accommode assez du mien pour n'y pas penser du matin au soir. Penser à son âge est le signe même du vieillissement. À quarante ans, on ne se dit pas tous les jours : « J'ai quarante ans... » Ou trente. Ou cinquante... Quand on attrape le chiffre sept, eh!...

Mais à me retourner ainsi sur les quelques circonstances de ma vie où j'ai reçu des « leçons particulières », je vois combien grands ont été mes privilèges.

Je me suis heurtée à des salopards, j'ai travaillé avec des caractériels, j'ai supporté des imbéciles. Mais, dans l'ensemble, leur présence m'a été plutôt épargnée, aucun représentant desdites catégories ne m'a laissé plus de trace qu'une brûlure d'ortie.

En revanche, par le hasard de métiers mirobolants,

j'ai été fabriquée, formée, instruite, construite par des hommes qui n'étaient pas indifférents.

Si très peu de femmes se trouvent parmi ceux qui m'ont donné des « leçons particulières », c'est sans doute parce que Douce a été la figure féminine de ma vie, figure auprès de laquelle toute autre aurait été terne, sinon superflue. Elle jouait tous les rôles. Je n'ai noué des amitiés féminines que depuis sa mort.

C'est aussi que mon existence a été très tôt remplie tout entière par le travail, et qu'à ma génération, on ne rencontrait pas beaucoup de femmes dans la vie professionnelle.

Mais, aujourd'hui, bouclant la boucle, c'est de ma mère que, par-dessus les années, je reçois les ultimes leçons de vie. C'est à son image, telle qu'elle fut dans ses dernières années, que je m'identifie, j'en ai bien conscience.

Je me surprends parfois faisant un geste, réagissant à une situation, enseignant à une jeune femme une recette de famille, secouant une autre parce qu'elle se laisse aller et je me dis : c'est elle.

Je suis attentive à ne pas peser sur les miens ni par ma présence ni par mes paroles – pas de conseils, surtout pas de conseils! – , et cela me vient d'elle. Qui d'autre m'aurait enseigné que plus on vieillit, plus il faut se faire léger, léger, léger, ne jamais parler du passé sauf si l'on vous sollicite, ne jamais parler de sa santé à moins qu'elle soit alarmante, mais aussi savoir quelquefois dire crûment ce que personne n'oserait formuler. Savoureuse liberté de l'âge...

Donc, j'ai été pour une large part faite par des hommes. Comme sur de la cire, ils ont laissé leur empreinte, leur trace, le plus souvent à leur insu.

Aujourd'hui, la cire est froide et dure. Aucune trace nouvelle ne pourrait, me semble-t-il, s'y ajouter. J'ai atteint ce moment de la vie où, intellectuellement, les cartilages de conjugaison sont soudés.

Mais si je ne peux plus absorber ce qui me modifierait, peut-être puis-je encore contribuer à modeler les autres? On peut donner à tout âge, et d'abord le mauvais exemple. De ce côté-là, je fais ce que je peux. Mais comment laisse-t-on une trace sur un esprit, sur une conscience? Je ne sais pas. C'est insaisissable, ça ne peut pas être délibéré, on écrit, on dit des choses auxquelles on attache du prix, personne ne les entend, et voilà qu'une phrase improvisée creuse un sillon.

Il m'arrive souvent de rencontrer un jeune homme, une jeune femme qui me dit : « Vous ne me connaissez pas, mais je vous ai entendue ou je vous ai lue dans telle circonstance, et à cause de vous, etc. » On ne se souvient de rien, c'est troublant.

J'aimerais transmettre un peu de mon long savoir : savoir de la vie, de l'amour, des hommes, des femmes, des petits-garçons – je n'ai pas de petite-fille –, de l'histoire contemporaine. J'aimerais transmettre aussi une certaine idée que j'ai de la morale.

On ne vit pas vieux sans avoir appris que ce ne sont pas les gens intelligents qui manquent, ce sont les gens courageux.

La morale du courage, c'est celle que j'essaie de transmettre à mes quatre petits-fils, comme on me l'a transmise, comme ils la transmettront, je l'espère, à leurs enfants. Honneur et courage, mes garçons, n'en démordez jamais, même si, parfois, c'est dur et que le cœur vous manque.

Le reste, on peut toujours s'en arranger.

DU MÊME AUTEUR

LE TOUT-PARIS, Gallimard.
NOUVEAUX PORTRAITS, Gallimard.
LA NOUVELLE VAGUE, PORTRAITS DE LA JEUNESSE, Gallimard.
SI JE MENS..., Stock.
UNE POIGNÉE D'EAU, Robert Laffont.
LA COMÉDIE DU POUVOIR, Fayard.
CE QUE JE CROIS, Grasset.
UNE FEMME HONORABLE, MARIE CURIE, Fayard.
LE BON PLAISIR, Mazarine.
DIOR, Éditions du Regard.
ALMA MAHLER, OU L'ART D'ÊTRE AIMÉE, Robert Laffont.

Les femmes
au Livre de Poche

(*Extrait du catalogue*)

Autobiographies, biographies, études...

Arnothy Christine
J'ai 15 ans et je ne veux pas mourir.

Badinter Elisabeth
L'Amour en plus
Emilie, Emilie. L'ambition féminine au XVIIIe siècle (*vies de Mme du Châtelet, compagne de Voltaire, et de Mme d'Epinay, amie de Grimm*).
L'un est l'autre.

Baez Joan
Et une voix pour chanter...

Bodard Lucien
Anne Marie (*vie de la mère de l'auteur*).

Boissard Janine
Vous verrez... vous m'aimerez.

Boudard Alphonse
La Fermeture – 13 avril 1946 : La fin des maisons closes.

Bourin Jeanne
La Dame de Beauté (*vie d'Agnès Sorel*).
Très sage Héloïse.

Buffet Annabel
D'amour et d'eau fraîche.

Carles Emilie
Une soupe aux herbes sauvages.

Černá Jana
Vie de Milena *(L'Amante) (vie de la femme aimée par Kafka).*

Champion Jeanne
Suzanne Valadon ou la recherche de la vérité.
La Hurlevent (*vie d'Emily Brontë*).

Charles-Roux Edmonde
L'Irrégulière (*vie de Coco Chanel*).
Un désir d'Orient (*jeunesse d'Isabelle Eberhardt, 1877-1899*).
Chase-Riboud Barbara
La Virginienne (*vie de la maîtresse de Jefferson*).
Contrucci Jean
Emma Calvé, la diva du siècle.
Darmon Pierre
Gabrielle Perreau, femme adultère (*la plus célèbre affaire d'adultère du siècle de Louis XIV*).
David Catherine
Simone Signoret.
Delbée Anne
Une femme (*vie de Camille Claudel*).
Desroches Noblecourt Christiane
La Femme au temps des pharaons.
Dietrich Marlène
Marlène D.
Dolto Françoise
Sexualité féminine. Libido, érotisme, frigidité.
Dormann Geneviève
Le Roman de Sophie Trébuchet (*vie de la mère de Victor Hugo*).
Amoureuse Colette.
Elisseeff Danielle
La Femme au temps des empereurs de Chine.
Frank Anne
Journal.
Contes.
Girardot Annie
Vivre d'aimer.
Giroud Françoise
Une femme honorable (*vie de Marie Curie*).
Gronowicz Antoni
Garbo, son histoire.
Hanska Evane
La Romance de la Goulue.
Higham Charles
La scandaleuse duchesse de Windsor.

Jamis Rauda
Frida Kahlo.
Lever Maurice
Isadora (*vie d'Isadora Duncan*).
Loriot Nicole
Irène Joliot-Curie.
Maillet Antonine
La Gribouille.
Mallet Francine
George Sand.
Mehta Gita
La Maharani (*vie de la princesse indienne Djaya*).
Martin-Fugier Anne
La Place des bonnes (*la domesticité féminine en 1900*).
La Bourgeoise.
Nin Anaïs
Journal, t. 1 *(1931-1934)*, t. 2 *(1934-1939)*, t. 3 *(1939-1944)*, t. 4 *(1944-1947)*.
Pernoud Régine
Héloïse et Abélard.
La Femme au temps des cathédrales.
Aliénor d'Aquitaine.
La Reine Blanche (*vie de Blanche de Castille*).
Christine de Pisan.
Régine
Appelle-moi par mon prénom.
Rihoit Catherine
Brigitte Bardot, un mythe français.
Rousseau Marie
A l'ombre de Claire.
Sadate Jehane
Une femme d'Egypte *(vie de l'épouse du président Anouar El-Sadate)*.
Sibony Daniel
Le Féminin et la séduction.
Simiot Bernard
Moi Zénobie, reine de Palmyre.
Spada James
Grace. Les vies secrètes d'une princesse *(vie de Grace Kelly)*.

Stéphanie
Des cornichons au chocolat.

Suyin Han
Multiple Splendeur.
...Et la pluie pour ma soif.
S'il ne reste que l'amour.

Thurman Judith
Karen Blixen.

Verneuil Henri
Mayrig (*vie de la mère de l'auteur*).

Vichnevskaïa Galina
Galina.

Vlady Marina
Vladimir ou le vol arrêté.
Récits pour Militza.

Yourcenar Marguerite
Les Yeux ouverts (*entretiens avec Matthieu Galey*).

Et des œuvres de :

Isabel Allende, Nicole Avril, Béatrix Beck, Karen Blixen, Charlotte et Emily Brontë, Pearl Buck, Marie Cardinal, Hélène Carrère d'Encausse, Françoise Chandernagor, Madeleine Chapsal, Agatha Christie, Colette, Christiane Collange, Jeanne Cordelier, Régine Deforges, Daphné Du Maurier, Françoise Giroud, Benoîte Groult, Mary Higgins Clark, Patricia Highsmith, Xaviera Hollander, P.D. James, Mme de La Fayette, Doris Lessing, Carson McCullers, Françoise Mallet-Joris, Silvia Monfort, Anaïs Nin, Joyce Carol Oates, Anne Philipe, Ruth Rendell, Christine de Rivoyre, Marthe Robert, Christiane Rochefort, Françoise Sagan, George Sand, Albertine Sarrazin, Mme de Sévigné, Simone Signoret, Christiane Singer, Han Suyin, Valérie Valère, Virginia Woolf...

IMPRIMÉ EN FRANCE PAR BRODARD ET TAUPIN
Usine de La Flèche (Sarthe).
LIBRAIRIE GÉNÉRALE FRANÇAISE - 6, rue Pierre-Sarrazin - 75006 Paris.
ISBN : 2 - 253 - 05982 - X ⊕ 30/4319/7